I Brian Cyfarchion
a Gwen

Dic Y Pit.
1/12/05.

Dic y Fet

*Hunangofiant Richard Thomas
gyda Lyn Ebenezer*

Gomer

Argraffiad cyntaf – 2005

ISBN 1 84323 561 7

Dymuna'r cyhoeddwyr gydnabod cymorth
Adrannau Cyngor Llyfrau Cymru.

Argraffwyd gan
Wasg Gomer, Llandysul, Ceredigion SA44 4JL

Er cof am
fy nhad
J. E. Thomas

Diolchiadau

Diolch:
I Liz, fy ngwraig, am ei holl gefnogaeth.
I Lyn Ebenezer, am ddehongli fy meddylie.
I Wasg Gomer am ofyn – ac am gyflawni.

Cynnwys

Bore Oes

Fet oeddwn i, a fet oedd fy nhad. Dyna, mewn brawddeg, hanes fy mywyd, ac mae'n lle addas i ddechrau fy hunangofiant. Nid yn unig y bu i Nhad a minne ddilyn yr un alwedigaeth, ond fe wnaeth y ddau ohonom ni hefyd dreulio'r union nifer o flynyddoedd mewn practis – pymtheg mlynedd ar hugain.

Fe aeth Nhad allan o'r coleg yn 1921 ac, fel finne ar ei ôl, roedd e'n fwy hapus yn ymwneud â'r cymdeithasu a'r ffermwriaeth nag yr oedd e â'r gwaith ei hunan. Ac wedi'r holl flynyddoedd, rwy'n teimlo mai'r cymdeithasu sydd wedi aros yn hytrach na'r cyllido a'r busnes – roedd y rheiny'n bwysig er mwyn cadw dau pen llinyn ynghyd ond y cymdeithasu oedd y peth mawr, yr elfen bwysicaf.

Rhyw deimladau cymysg sydd gan rywun wrth edrych yn ôl. Fe wnaeth rhywun ddisgrifio teimladau cymysg fel y rheiny sy'n dod i chi pan fyddwch chi'n gweld eich mam-yng-nghyfraith yn gyrru dros y dibyn i'r môr – yn eich car newydd chi. A rhyw deimlad fel'na sydd gen i er, mae'n rhaid i mi ddweud fy mod i'n dwlu ar fy mam-yng-nghyfraith i!

Fe fyddai Nhad bob amser yn mynnu fod bywyd yn cael ei rannu yn dri – ieuenctid, canol oed a henaint. Pan 'ych chi'n ifanc, r'ych chi'n dueddol o wneud camgymeriad mawr a phrynu pensiynau yn lle prynu tir. Pan ddechreuais yn y proffesiwn yn 1964, petawn i wedi prynu tair neu bedair fferm, fe fyddai wedi bod yn llawer gwell i fi na rhoi fy arian mewn rhyw gwmni pensiwn neu yswiriant, rhyw *Equitable* neu *Amicable*, beth bynnag ydyn nhw. Wrth gwrs, wyddwn i ddim ar y pryd. Pan 'yn ni'n ifanc, r'yn ni'n edrych ymlaen, r'yn ni'n adeiladu cestyll yn yr awyr. Fe gaiff rhai o'r rheiny eu bwrw i lawr ac r'ych chi'n eu hailadeiladu. Dyna beth yw bod yn ifanc.

Dod wedyn i ganol oed. R'ych chi'n edrych ymlaen ac yn edrych 'nôl. Ac os oes naw pwynt gennych chi ar eich trwydded yrru, fe fyddwch chi'n edrych 'nôl yn fwy na fyddwch chi'n edrych ymlaen. Fel y Gwyddel hwnnw yn teithio ar tua chan milltir yr awr ar hyd y draffordd, a dyma heddwas yn ei ddilyn, yn ei basio ac yna'n ei orfodi i stopio. Draw â'r heddwas at y gyrrwr a gofyn iddo fe, 'Pam na fyddech chi wedi stopio'n gynt?' A hwnnw'n ateb, 'A dweud y gwir, fe adawodd fy ngwraig i. Fe aeth hi bant gyda phlismon, ac rown i'n ofni mai chi oedd e a'ch bod chi'n dod â hi 'nôl.'

O fynd yn hen wedyn, y cyfan fedrwch chi ei wneud yw edrych 'nôl. A'r gorau i gyd fuodd eich bywyd, melysa i gyd yw eich atgofion chi. Yr unig broblem wedyn yw mai dyna pryd fyddwch chi'n colli'ch cof. Mae'n anodd cofio hanner y pethe 'ych chi wedi'u gwneud. Sy'n atgoffa rhywun am stori wir am fachan yn gofyn i'w gyfaill ble buodd hwnnw ar ei wyliau y flwyddyn flaenorol. 'Sai'n cofio,' medde fe. 'Y wraig sy'n cofio pethe fel'na. Aros di nawr, ti'n gwybod am y planhigyn yna sy'n tyfu o gwmpas coeden ac yn ei mogi hi? Mae rhai yn ei dorri fe lawr.' 'Eiddew,' medde'r llall. 'Ie, ond beth yw e'n Saesneg?' '*Ivy*,' medde'r llall eto. A dyma'r bachan yn gweiddi ar ei wraig, 'Ivy, ble fuon ni ar ein gwyliau llynedd?'

*   *   *

Fe ges i fy ngeni a'm magu ym Mhenrallt-ddu yn nhref Aberteifi. Ac yno rwy'n byw nawr ac yn cysgu yn yr union stafell ble ces i fy ngeni. Ganwyd fi yn 1939, a medde Hitler, 'Diawch, mae hwn wedi cyrraedd. Fe wna i ddechre rhyfel.' Mis Awst oedd hi, ac ym Mhenrallt-ddu roedd ein meddygfa ni bryd hynny. Roedd cymaint â phedwar fet yn gweithio oddi yno.

Sister Griffiths oedd y fydwraig, ac fe rybuddiodd hi bawb nad oedd unrhyw yfed i fod. Ond roedd y pedwar fet wedi cael potel o *Black Label*, stwff prin iawn bryd hynny, lawr yng Nghwm-bach. Roedd Sister Griffiths wedi gofalu nad oedd gwydrau yn y tŷ, rhag ofn. Ac mae'n debyg iddyn nhw, y noson ges i fy ngeni, yfed y wisgi allan o botiau jam. Ac fel 'na ges i 'nghyflwyno i'r byd.

Fe ges i fy magu, felly, ynghanol fets ac, ar ôl tyfu'n grwt, fe fyddwn i'n golchi eu ceir nhw. Erbyn i mi gyrraedd pump oed, roeddwn i'n gallu gyrru car. Ac erbyn y deg oed, fe fyddwn i'n mynd allan gyda Nhad. Fe fydde fe'n caniatáu i fi yrru allan o'r garej gyda chlustog dan fy mhen-ôl. Fe alla i gofio'r gwahanol geir nawr: *Ford Prefect, Morris 8, Austin 7* ac *Austin Big 7*.

Ond i ddod 'nôl i'r dechreuad at Tomos y Fet, fy nhad. Un bach byr oedd e, hyd yn oed yn llai na fi. Rhai byr oedd Lloyd George a Hitler hefyd, ond r'ych chi'n mesur dyn o'i ysgwyddau i fyny. Roedd e'n arfer dweud mai plismon oedd e am fod. Ond fe fethodd oherwydd ei lygaid – roedden nhw'n rhy agos at y llawr. Roedd e bron yn ddeugain oed yn priodi, ac erbyn 'mod i'n grwt, roedd e bron yn hanner cant.

Un peth dwi'n cofio'n glir yw ei gryfder. Fe fedre fe ddal bustach â dau fys gerfydd ei drwyn heb benwast. Rhaid cofio, yn y dyddiau hynny, nad oedd 'na ddim crwsh i ddal creadur ac yn ei amser fe roddodd e brofion tiwberciwlosis i filoedd ar filoedd o anifeiliaid – ac roedd gofyn mynd o gwmpas a'u dal nhw fel roedden nhw.

Roedd e'n dioddef o glefyd y siwgwr ers pan oedd e'n fachgen ifanc, ac rwy'n dal i gofio gweld chwistrelli yn llawn o insiwlin yn y stafell ymolchi, a hynny pan oedd y driniaeth ond yn ei dyddiau cynnar. Oherwydd ei salwch roedd e'n gorfod bod yn ofalus o'i fwyd. Byddai Mam o hyd yn gofalu ei fod e'n cael ei fwyd, a chael y math iawn o fwyd a hynny ar yr amser iawn.

Roedd ei fywyd e'n un prysur iawn. Byddai yna hen ddywediad yn ardal Aberteifi: os oeddech chi am gael hyd i Tomos y Fet, yna fe fydde gofyn i chi ffonio cyn chwech y bore neu ar ôl un ar ddeg y nos. Un rheswm dros hynny oedd mai ef oedd yr unig filfeddyg yn yr ardal bryd hynny. Fe ddaeth i ardal Aberteifi adeg y Rhyfel. Yng Nghastell-newydd y dechreuodd e ar y practis, ac ar y dechre roedd ganddo fe foto-beic. Fe gychwynnodd ar ei ben ei hunan ond yn ddiweddarach fe gafodd gymorth Oswyn Harries, Stephen Evans a Cynwyd Vaughan Davies. Thomas, Davies, Harries ac Evans oedden nhw bryd hynny. Roedd Harries ac Evans wedi bod yn fyfyrwyr gyda'i gilydd yn y coleg yn Lerpwl, ac rwy'n gallu eu cofio nhw o adeg diwedd y rhyfel hyd at y cyfnod pan es i fy hunan i'r coleg.

Rhwng 1921, pan ddaeth Nhad allan o'r coleg, a chyfnod symud i Aberteifi adeg y Rhyfel, roedd Nhad ar ei ben ei hunan. Ond roedd ganddo un yn ei helpu, Davies Wern-gadno, tipyn o gymeriad. Wedyn fe ddaeth y lleill, ac fel crwt bach fe ddes i i'w hadnabod nhw i gyd gan mai yn ein tŷ ni, Penrallt-ddu, y bydden nhw'n ymgasglu yn y bore ac yno y bydden nhw'n codi petrol. Yn union wedi'r rhyfel roedd petrol yn brin, ond oherwydd natur eu gwaith roedd milfeddygon, mae'n rhaid, yn cael blaenoriaeth ac ym Mhenrallt-ddu roedd tanc petrol a phwmp ar gyfer y practis.

Yn y pantri sydd yma nawr yr oedd y fferyllfa lle câi'r moddionach eu cymysgu ac yn y stafell lle mae ein stafell fwyta ni nawr roedd y swyddfa lle byddai dwy ferch yn gweithio, a Miss Wigley'n teyrnasu. Hi oedd yn edrych ar ôl y cownts. Er nad oedd y fath beth yn bod â chyfrifiadur bryd hynny, hi fyddai'n gofalu am y Llyfr Mawr, neu'r prif lyfr cyfrifon. O hwnnw y byddai'r biliau'n mynd allan bob rhyw dri mis, neu hyd yn oed chwe mis.

Roedd teliffon newydd gyrraedd a'r rhif oedd Aberteifi 2479. Wedyn fe ddaeth 61 o'i flaen e ac yn ddiweddarach wedyn fe ddaeth y rhif côd 01239 o flaen hwnnw.

Bob bore fe fydde'r pedwar partner yn ymgasglu yn y syrjeri ym Mhenrallt-ddu. Cynwyd Vaughan Davies fydde'r cynta i gyrraedd fel arfer. Roedd yntau'n byw ym Moncath. Roedd ganddo fe ei bractis bach ei hunan, fwy neu lai, lle'r oedd e'n tendio ffermwyr y cylch ac ardaloedd pellach draw am Drelech a Meidrim ac i'r de.

Roedd Defis Bach y Fet yn ddyn bach digon cecrus. Doedd ganddo fe ddim llawer o amser ac amynedd at ffermwyr allai fforddio prynu pob math o bethe newydd ond fyddai eto yn araf yn talu'r bil. A doedd e ddim yn deall sut y gallai ffermwyr fforddio prynu peiriannau newydd. Roedd hynny yn ei boeni fe. Rwy'n cofio'i helpu fe i dynnu llo unwaith a'r rhaff yn torri a ninnau'n disgyn mewn i'r sodren, Davies, y ffermwr a finne. A Davies yn cwyno, 'Dyma beth yw blydi ffermio. Mae 'na *Humber Hawk* newydd yn y garej, ond dim blydi rhaff ddeche i dynnu llo!' Fe'i clywais i fe'n dweud droeon bethe fel, 'Sut mae e wedi gallu prynu tractor newydd a dim ond un tshyrn laeth ar dop y lôn?'

Roedd e'n weithiwr caled a dygn iawn. Os oedd rhywbeth i'w wneud, fe wnâi Davies e, boed hynny ddydd neu nos. Roedd e hefyd ar y Cyngor Sir ac os bydde fe ar goll ambell i brynhawn fe fyddwn i'n gwybod ble bydde fe – i lawr yn Hwlffordd yn cyfrannu at anghenion ei blwyfolion. O'r partneriaid i gyd, Davies fyddai'n poeni fwyaf ar ddiwedd y flwyddyn am faint o dreth incwm y bydden ni'n ei dalu. Yn 1965, fe gafodd ein practis ni deliffon radio ond doedd Davies ddim yn hapus. Roedd ffôn cyffredin yn ddigon da, medde fe. Ac fe fydde fe'n dweud, 'Os oes ganddoch chi wraig dda, sdim eisie teliffon radio.' Roedd hi'n dal yn ddyfais fodern iawn bryd hynny.

Rwy'n cofio amdano fe'n dod 'nôl ar ddiwedd un prynhawn a thua wyth galwad arall yn aros amdano. Roedd disgwyl i fi ei helpu, ac wrth iddo fe esbonio i fi ble i fynd, fe ddywedodd fod mwncis a doncis ymhob syrcas, ac mai fe a fi oedd y rheiny yn achos y practis hwn. O Faesteg roedd e'n dod yn wreiddiol, ac rwy'n cofio Mam yn dweud amdano, pan aeth hi i'w nôl e gyntaf i Gaerfyrddin, mai'r unig beth ddywedodd e wrthi ar y ffordd adre oedd, 'Dwi ddim yn leicio blydi wyau wedi'u berwi.' Rhyw gymysgedd o Gymraeg a Saesneg oedd iaith Davies, a hyd yn oed ar ôl blynyddoedd o wasanaethu mewn ardal Gymraeg, yr un oedd natur ei iaith. Fe briododd â merch leol, Irene, merch Simon Morris, hwnnw hefyd yn Gynghorwr Sir ac fe fydde Davies a'i dad-yng nghyfraith yn cecran llawer ymysg ei gilydd.

Roedd Joseph Oswyn Harries yn fab i fferm Rhos-y-gadair yn Aberporth. Roedd e'n ddyn talentog ond hefyd yn ddyn penstiff. Os oedd Oswyn yn dweud rhywbeth, roedd gofyn i chi wrando. A fyddai dim maddeuant. Fel Davies, roedd e'n ddyn cryf iawn. Byddai dal creadur yn llonydd yn waith anodd bryd hynny ond roedden nhw ill dau yn dod i ben yn hawdd.

Fe briododd Oswyn gyfnither i fi, Molly Morris, merch i Annie, chwaer Mam, felly fe fu cysylltiad teuluol clòs rhyngof fi ac Oswyn, ac yn ddiweddarach â'i blant, Geraint ac Ioan. Fe aeth Geraint ymlaen i'r Awyrlu gan wneud yn dda, a datblygodd Ioan yn beiriannydd medrus iawn ar y môr cyn dychwelyd i gychwyn busnes llewyrchus ei hunan.

Roedd Oswyn yn gryf iawn mewn Anatomi ac yn medru creu graffics. Roedd y ddawn honno yn ei waed – roedd ei dad a'i dad-cu o'i flaen e yn grefftwyr wrth natur. Gallech weld bod Oswyn y teip o ddyn allai fod wedi troi ei law at unrhyw beth. Fe fydde fe wedi gwneud saer da iawn; fe allai weithio dreser neu seld. Yn wir, yn ôl yn y pedwardegau fe weithiodd e garafán iddo'i hunan, ac un deidi oedd hi hefyd. Roedd llygad dda ganddo fe. Tynnu lluniau, pysgota, saethu – beth bynnag fydde fe'n ei wneud, fe fydde'n ei wneud yn dda. Roedd gwaith milfeddygol yn rhan o'i fywyd, ond nid y rhan bwysicaf. Roedd ganddo fe weledigaeth a dwylo da, y cyfuniad perffaith. Mantais fawr oedd bod Oswyn, yn hytrach na disgrifio rhywbeth mewn geiriau, yn medru ei ddarlunio. Fel Davies, roedd Oswyn hefyd yn medru bod yn wyllt, ond roedd elfen fwy penstiff yn Oswyn nag yn Davies.

Oswyn oedd y llawfeddyg a oedd yn gwneud y gwaith mwyaf ar gŵn a chathod. Os byddai angen llawdriniaeth ar gi neu gath, fe gâi ei wneud ar fwrdd y gegin yn Eirianfa, ei gartref, ac fe ddysgais i lawer ganddo fe. Oedd, roedd pethe'n llawer mwy cyntefig nag y maen nhw heddiw. Hwyrach mai ganddo fe y dysgais i fwyaf am drin anifeiliaid bach. Yn ddigon rhyfedd, fe ddysgais i fwy am geffylau, defaid a gwartheg pan own i'n ymarfer gyda Dai Llewelyn yng Nghaerdydd yn nyddiau coleg.

Y trydydd fet oedd Stephen David Samuel Evans, cymeriad tra gwahanol. Evans y Fet oedd e i lawer, neu Evans Bach i'w ffrindiau a'i gwsmeriaid. Pam Evans Bach, wn i ddim, achos doedd e ddim yn fach o gorff. Evans, o blith y partneriaid, wnaeth droi fwyaf at ochr fusnes y practis. Roedd e'n garcus iawn o'r ochr ariannol. Ef fyddai'n delio â'r trafaelwyr fyddai'n galw i werthu cyffuriau. Dyna oedd y drefn bryd hynny, gyda chynrychiolwyr y gwahanol gwmnïau yn galw i gasglu archebion am gynnyrch eu cwmnïau. Roedd ymweliadau gan y rhain yn ddigwyddiadau cymdeithasol. Fe fydden nhw'n galw yn y tŷ ac yn aros i ginio neu i de. Pan oeddwn i'n blentyn fe fyddwn i'n edrych ymlaen at gael eu posteri a'u taflenni hysbysebu. Evans fyddai'n delio â hyn i gyd; gweinyddiaeth oedd ei gryfder mawr ef.

Yn anffodus i Evans, doedd ganddo fe fawr iawn o hunan-hyder mewn llawdriniaethau. Doedd e ddim yn hapus pan fydde ganddo scalpel yn ei law ac roedd hynny yn ei fecso. Fe gyfaddefodd fod hynny'n gwneud iddo golli cysgu'r nos ac o'r herwydd fe fydde fe'n blino llawer, a finne wedyn yn fachgen ifanc yn gorfod ei yrru fe'n aml pan gâi e alwadau nos. Felly fe wnes i fanteisio llawer ar hyn drwy fod gydag e a gwneud y gwaith drosto fe yn aml. Drwy hynny fe ddysgais i lawer a chael cryn dipyn o brofiad uniongyrchol ymhell cyn i fi fynd i'r coleg. Yn wir, fe fyddwn i'n mynd allan fy hunan i ddigornio gwartheg trwy ddefnyddio weiren gaws gan drin tua thrigain y dydd weithiau, a'r cyfan yn gymorth mawr i fi erbyn dyddiau coleg. Yn aml iawn liw nos, fe glywn i sŵn car y tu allan. Ac o godi, fe welwn i gar glas yno. Evans fyddai yno yn galw i weld a awn i allan gydag ef. Rwy'n ddyledus iawn iddo fe.

Doedd Oswyn ac Evans ddim yn rhyw ffrindiau clòs iawn – roedd y ddau mor wahanol i'w gilydd. Weithiau byddai angen rhyw Henry Kissinger i sefyll rhyngddyn nhw ac, yn aml, fi fydde hwnnw. Fe fydde'r naill yn dweud wrtha i am ddweud rhywbeth wrth y llall, a'r llall yn dweud wrtha i beth i'w ddweud yn ôl. Dwy bersonoliaeth a oedd yn llwyr wahanol. Ond yn eu gwahanol ffyrdd fe wnaethon nhw gyfrannu llawer iawn i'r practis.

Wedyn fe gawson ni help Adrian Batten, oedd yn ddyn tawel, addfwyn gyda gallu arbennig iawn. Roeddwn i'n teimlo'n eilradd i hwn o ran ei ddyfalbarhad, ei allu ymenyddol a'i ddawn ymhob maes milfeddygol. Roedd gan ein practis ni a'n cwsmeriaid barch mawr tuag ato. Wnaeth e erioed wneud unrhyw beth nad oedd yn broffesiynol, wnaeth e erioed ddim byd heb feddwl yn ddwys amdano yn gyntaf. A'r cyfan yn cael ei gyflawni heb unrhyw ffws na ffwdan. Fe gyfrannodd hwn lawer iawn at ein practis ni, yn enwedig wedi i'r partneriaid gwreiddiol ddechrau mynd yn hŷn.

Yna fe ddaeth Stephen Harries ac Edward Jones aton ni. Roedd gan Edward Jones gysylltiad teuluol â ni, ac mae'r ddau yn dal yn y practis o hyd. Stephen Harries, hwyrach, wnaeth etifeddu'r gofal ariannol oddi wrth Evans.

Hawdd yw edrych yn ôl a gweld beiau. Ond o feddwl mai partneriaeth oedd y practis, hwyrach y byddai wedi bod yn well yn y dyddiau cynnar hynny pe basen nhw wedi penodi rheolwr practis. Problem fawr rhedeg practis yw eich bod chi allan ar y ffordd, ac mae'n rhaid i un o'r partneriaid fod ar ôl yn y swyddfa yn cadw golwg ar y cyfan. I fi, mae hi'n amhosib bod yn filfeddyg ac edrych ar ôl y practis ar yr un pryd. Fe ddylai rhywun arall heblaw'r fet fod â gofal cyffredinol gydol yr amser.

Rwy'n teimlo hefyd ein bod ni yn y chwedegau a'r saithdegau wedi colli mantais fawr trwy beidio ag ymuno ag ambell bractis arall ar gyfer prynu cyffuriau ar y cyd a chynnig, o ganlyniad, gwell pris. Canlyniad hyn yw bod cyffuriau nawr yn cael eu mewnforio o Iwerddon am nad ydyn ni'n ddigon cystadleuol fel milfeddygon.

Erbyn hyn mae'r practis yn cynnwys milfeddygon nad ydyn nhw'n bartneriaid llawn ond nhw yw'r rhai sydd allan ar yr hewl bob awr o'r dydd a'r nos yn gwneud y gwaith caled, sef Wyn Lewis, sy'n fwy enwog bellach am ei gôr meibion – Ar Ôl Tri – Christopher Mitchley, bachgen a adawodd i fyw yn Lloegr ond a fethodd gadw draw ac sydd bellach yn ôl yma'n rhan amser, a Merfyn Evans o Aberaeron. Dylid enwi hefyd

Catherine Tudor, merch fferm, yr oedd ei thad yn ddyn blaenllaw ym myd y defaid. Er iddi adael y cwmni bellach, mae pobol yn dal i siarad amdani. Rwy'n cofio unwaith cyrraedd fferm arbennig yng nghar Catherine, a phan welodd y ffermwr mai fi, ac nid hi, oedd yno, ni fedrai guddio'i siom. Dyna un rheswm pam wnes i benderfynu ei bod hi'n bryd i fi roi'r ffidil yn y to.

Mae'r rhai sydd yn y swyddfa, merched yn bennaf, yn allweddol hefyd ar gyfer rhedeg practis teidi. Mor bwysig â'r un yw'r person sy'n ateb y ffôn. Does dim byd yn waeth i rywun sydd ag angen milfeddyg na chlywed y ffôn yn y swyddfa yn canu a chanu, a neb yn ateb. Fy mholisi i erioed i rywun oedd yng ngofal y ffôn oedd ei ateb, hyd yn oed os byddai hi ar ganol sgwrs â rhywun yn y swyddfa. Y cyfan sydd ei angen yw gofyn yn gwrtais i'r person y byddwch chi'n sgwrsio ag ef neu hi i ddal ymlaen am funud. Fe fedrwch golli cwsmer yn hawdd oherwydd rhywun yn y swyddfa sydd ddim yn gwneud ei waith yn iawn. Mae'r rhai sydd yn y swyddfa yr un mor bwysig, bron, â'r milfeddygon. Gall colli amynedd ar ran un o'r rheiny olygu colli cwsmer. Wedi'r cyfan cynnig gwasanaeth rydyn ni.

Mae gwaith milfeddyg yn medru bod yn anodd iawn i ferch, yn enwedig i ferched sydd ddim yn gynefin â dulliau cefn gwlad. Rwy'n cofio un ferch ifanc, dyner yn ymuno â'r practis, merch o'r dre. Fedrai Vanessa ddim dygymod â'r cysyniad o roi anifeiliaid claf i lawr. Allai hi ddim gweld synnwyr mewn dilyn cwrs pum mlynedd er mwyn rhoi gwartheg i gysgu. Ac mae mwy a mwy o hynny wedi digwydd yn dilyn clefydau fel BSE. Mewn achosion felly mae hi'n garedicach i roi anifail i lawr – ac mae elw hefyd yn dod o hynny. Ond fedrai hi ddim derbyn mai lladd creaduriaid yn hytrach na'u hachub oedd ei dyletswydd ambell waith, a bod hynny'n garedicach â'r creadur weithiau hefyd. Wrth gwrs, holl bwrpas milfeddygaeth yw achub bywydau. Ond fe frwydrodd hi'n galed iawn i ennill parch ac ymddiriedaeth.

*   *   *

Pan gychwynnodd Nhad, cwacs oedd y rhan fwyaf o feddygon creaduriaid, a'i orchwyl gynta ef oedd darbwyllo ffermwyr o'r gwahaniaeth rhwng cwacs a milfeddygon a oedd wedi eu hyfforddi ar gyfer y gwaith mewn colegau a phrifysgolion. Roedd llawer o'r cwacs fydde'n teithio o gwmpas yn gwybod pa salwch fydde ar greadur ond heb wybod pam. Mae milfeddyg, o ddysgu Anatomi a Phatholeg ac yn y blaen nid yn unig yn gwybod beth yw'r salwch ond y rheswm pam y daliodd y creadur y salwch yn y lle cynta – heb sôn am wybod beth yw'r feddyginiaeth. Yn amser Nhad roedd gwaedu ceffyl yn fath ar feddyginiaeth. Y syniad oedd cael gwared o'r gwenwyn neu'r tocsin o'r gwaed.

Mae e'n swnio'n rhywbeth cyntefig iawn heddiw, ond o'i waedu, roedden nhw'n credu bod llai o'r gwenwyn yn y gwaed ac y byddai'r creadur wedyn yn cael cyfle i gynhyrchu gwrthwenwyn. Ond y gwir amdani oedd na wyddai neb pam fod y gwaedu'n gweithio. Peth arall oedd yr hyn oedd yn cael ei alw yn Glefyd y Gwt. Byddwn i'n gweld hyn yn aml hyd yn oed yn fy amser i. Byddai hyn yn digwydd pan fydde buwch yn dod â llo, a'r llo mor fawr fel ei fod e'n pwyso ar belfis y fuwch nes parlysu'r nerfau i'r coesau ôl. Yr enw poblogaidd ar hyn fyddai *Downer Cow*, ac roedd amryw o bethe'n ei achosi, fel y Dwymyn Laeth, diffyg calsiwm neu galch yn y gwaed wedyn. Fe fydde ffermwyr oedd â buwch yn dioddef o hyn yn credu bod modd creu gwyrthiau. Ac os oedd y milfeddyg yn methu, fe fydden nhw'n mynd at y cwac oedd yn honni ei fod e'n medru gwella Clefyd y Gwt. Yr hyn fydden nhw'n ei wneud fydde torri rhan o'r gwt ac yna gosod rhyw gymysgedd ar y clwyf a'i rwymo. Roedd rhai yn credu bod garlleg yn rhan o'r gymysgedd. Ac yn aml, â'r milfeddyg wedi methu, fe fydde'r fuwch – yn dilyn ymweliad gan y cwac – yn ôl ar ei thraed ar ôl rhyw awr neu ddwy. Roedd e'n debyg i'r hyn yw homeopathi heddiw.

Mae meddyg a milfeddyg yn cael eu hyfforddi, wrth gwrs, ac yn cynnal profion clinigol cyn gwneud dim byd. Ond am y cwacs, roedd rhyw ddirgelwch ynghlwm â'r peth, yn union fel

18

yr oedd ynghlwm wrth y Dyn Hysbys. Ac mae milfeddygon sydd â meddwl agored yn cydnabod fod yna ffyrdd llai confensiynol o wella creadur er nad oes esboniad llwyr o'r hyn sy'n digwydd.

Roedd Nhad yn ddyn o flaen ei amser ac yn ddyn a oedd yn byw bywyd llawn. Yn ogystal â bod yn filfeddyg fe fydde fe hefyd yn mynd allan i bregethu ac i ddarlithio byth a hefyd. Fe fydde fe wastad yn rhwbio *Brilliantine* yn ei wallt nes y byddai ei ben bob amser yn sgleinio fel gwydr. Roedd e'n edrych i'r dyfodol byth a hefyd ac yn fodlon mentro.

Roedd e mor brysur fel bod angen rhywun i'w yrru fe o fan i fan a hefyd i'w helpu i dagio'r lloi. Blociau plwm tebyg i'r rheiny oedd yn printio papur newydd oedd yn cael eu defnyddio bryd hynny i dagio. Byddai'r llythrennau priodol yn cael eu gwasgu i mewn i'r glust y tu mewn ac yna polish du yn cael ei rwbio i'r marciau gan greu math ar datŵ. Ac fe fydde angen llofnodi ar gyfer pob creadur.

Y profion tiwberciwlosis oedd y peth mawr. Ac yn hynny o beth roedd e'n arloeswr. Fe gliriodd e'r tair sir bron yn llwyr o diwberciwlosis ar ei ben ei hun. Yn mynd o gwmpas gydag e fe fydde Gwilym Shelby, tipyn o gymeriad. Rwy'n cofio Mam yn dweud stori – roedden nhw'n byw yn Gerallt bryd hynny, yn Rosehill y tu allan i Aberteifi. Roedd Nhad a Gwilym wedi bod allan yn gweithio drwy'r dydd heb fawr ddim bwyd, a Mam yn dweud wrth Gwilym,

'Dwedwch wrtha i Gwilym, o's isie bwyd arnoch chi?'

'Musus fach, rwy bwytu starfo,' medde Gwilym. 'A dweud y gwir wrthoch chi, rwy mor wag fe allwn i sychu chwys fy nhalcen â chroen fy mola.'

'Wel, mae'n ddrwg 'da fi,' medde Mam, 'ond heno dim ond cig mochyn sy gen i, a ma' llawer o fraster arno fe.' Cig mochyn cartre oedd e, wrth gwrs, a hwnnw'n hongian o'r nenfwd.

'Peidiwch â becso am y braster,' medde Gwilym, 'fe wna i dwyllo 'nghylla mai stêc yw e.'

Roedd gan fy Nhad ei hun ddywediadau pert. Cofiaf amdano'n galw mewn fferm arbennig, ag yntau â dwsin neu fwy o alwadau eraill yn ystod y dydd. Doedd dim o'r fath beth ag ail alw i'w gael bryd hynny – doedd dim amser gan fet i fynd 'nôl ac yn ôl wedyn. Ei gyngor wrth wraig y fferm fydde, 'Gwrandwch, fy merch i, os na fydd y fuwch yna'n well, rhowch alwad i fi. Os na chlywa i ddim byd, fe fydda i'n gwybod ei bod hi'n well. Fe fydd eich mawredd chi yn eich tawelwch chi.'

Doedd dim byd yn fawreddog yn Nhad. Bachan gwerinol oedd e. Roedd hynny'n dod yn amlwg i fi wrth i fi fynd allan gymaint gydag e. Roedd hi'n bwysicach iddo fe i fod yn ffrind yn hytrach na rhywun a gâi ei ystyried yn fawr neu'n bwysig. Ond roedd e'n hoffi hanesion am y bobl fawr yn cael eu bychanu, yn cael eu torri lawr i'w seis.

Fe es i lawr gydag e rhyw noswaith i Login at ryw hen ffermwr. Ac roedd tipyn o wynt yn hwn, ei wartheg e yn cynhyrchu mwy o laeth na gwartheg neb arall. Ei dractor e wedyn yn well na thractor neb arall. A Nhad yn sibrwd yn fy nghlust, 'Yr hyn sydd ei eisiau arno fe yw tap yn ei din i adael tipyn o'r gwynt 'na mas.'

Rwy'n cofio mynd gydag e i ryw fferm un noson ac yno roedd hen foi oedd yn bragan o hyd. Roedd popeth roedd e'n berchen yn well nag eiddo pawb arall. Fe wahoddodd gwraig y fferm Nhad i mewn i weld yr hen foi yma a oedd yn dathlu ei ben-blwydd yn 90 oed ar y pryd. A dyna ble'r oedd e'n brygowthan:

'Chi'n gwbod, Tomos, rwy wedi bod yn ddyn da gydol fy mywyd,' medde fe. 'Alla i ddweud â'm llaw ar fy nghalon nad oes gen i'r un gelyn yn y byd.'

A Nhad yn sibrwd wrtha i o dan ei anadl, 'Na, does ganddo fe ddim gelyn – mae e wedi eu claddu nhw i gyd.'

Erbyn 'mod i'n wyth neu naw oed roedd arwain tarw yn beth naturiol i fi ei wneud. Erbyn i mi gyrraedd tua phymtheg oed fe fyddwn i'n mynd rownd y ffermydd gydag e yn aml gan ei helpu fe i dynnu llo, efallai, neu jyst er mwyn ei yrru fe o gwmpas pan fydde fe wedi blino. Dyna lle byddwn i'n gyrru'r hen *Ford 10* rownd y wlad heb unrhyw drwydded o fath yn y byd. Wedi i fi ddod adre o'r ysgol, falle y bydde ganddo fe bump neu chwech o alwadau. A dyna lle bydde fe yn eistedd yn y car, yn gwisgo fy nghap ysgol i, a finne'n gyrru gan wisgo ei het a'i got e. Roedd ganddo fe hen slowtshen lwyd o het a fe fydde fe'n gwisgo *Mackintosh* golau. Roedd e'n edrych yn union fel Columbo, y ditectif doniol yna sydd ar y teledu. Ambell waith fe fyddwn i'n ei yrru fe hanner can milltir neu fwy mewn un noson.

*   *   *

Cyn bod antibiotics, bron iawn y peth cynta ddaeth allan o ran cemegyn oedd *Sulphanilamide.* Hwn wnaeth ddisodli'r hen arferiad o waedu ceffylau i'w gwella nhw. Yna daeth y cemegyn yma, y *Sulphanilamide M & B Powder.* Hwn oedd y toriad drwodd cynta yn gemegol ym mywyd y fet. Rwy'n medru gweld y pecynnau nawr, pecynnau pwys. Wedyn, wrth gwrs, fe ddaeth Penisilin a *Streptomycin.* Ond fe fydde Nhad yn dibynnu llawer ar feddyginiaethau hen-ffasiwn. Yna, wrth gwrs, fe ddechreuodd y meddyginiaethau yma ddod yn baced parod. Cyn hynny fe fydde'n rhaid i Nhad a'i debyg eu paratoi nhw a'u cymysgu nhw i gyd.

Roedd e'n un o'r rhai cyntaf i fabwysiadu Ymhadiad Artiffisial, neu'r *AI.* Yn wir, roedd e'n arloeswr yn hynny o beth. Ac mae 'na stori enwog, wrth gwrs, am y fenyw fach honno wnaeth ffonio unwaith a dweud, 'Rwy'n clywed, Tomos, fod yr *AI* yma gyda chi. Ma' buwch gen i sy'n ffaelu sefyll y tarw, allech chi ddod?' Felly fe aeth e i weld y fenyw fach. Hithau'n dweud ei bod hi wedi gadael dŵr mewn basin a sebon coch iddo fe er mwyn golchi ei ddwylo. A dyma hi'n ychwanegu, 'A rwy wedi taro hoelen y tu ôl i ddrws y beudy fel y gallwch hongian eich trowser arni.'

Ym Mhenrallt-ddu y cychwynnwyd y gwasanaeth *AI* cyn i'r Bwrdd Marchnata Llaeth gymryd drosodd yn y pumdegau. Roedd tri neu bedwar tarw yno, a gwartheg godro hefyd, ac fe fydden ni'n gweithio llaeth enwyn a menyn ac yn y blaen. Ond nid yn unig roedd Nhad yn flaenllaw mewn milfeddygaeth, roedd e'n ddyn busnes hefyd cyn belled ag yr oedd prynu a gwerthu eiddo yn y cwestiwn. Yn ystod ei oes fe brynodd ac fe werthodd dair fferm. Fe fuodd e'n ffermio'r rhain, ond fyddwn i ddim yn ei ddisgrifio fel ffermwr llwyddiannus. Roedd e mor brysur, a hwyrach nad oedd ei fys e ar y pyls ddigon o ran bod yn ffermwr.

Fe brynodd ei fferm olaf, Gwarllwyn, Rhydlewis, fferm hyfryd 250 erw, gydag adeiladau eang ac adnoddau ymolchi ymhob stafell wely, oddi wrth yr Aelod Seneddol D O Evans ac rwy'n cofio mynd yno yn yr hen *Ford Prefect* i gywain y gwair. Roedd tua hanner dwsin yn gweithio yno, Len Salamanca, Jac y Crown, John Bathouse, Tom Freeman a Jâms Glynarthen. Tom Bailey wedyn. Roedd yno dri o dractorau, *John Deere*, *Fordson Major* a Fforden Fach. Rown i'n teimlo'n falch iawn fy mod i'n medru cychwyn y Fforden Fach â handlen a 'mod i'n ddigon trwm i wasgu'r clytsh lawr, a finne ond yn bymtheg oed.

Yn anffodus, roedd cyfanswm cyflogau'r gweithwyr yn uwch na'r derbyniadau ac roedd Nhad yn colli arian. Ond roedd e'n barod i fentro – tyfu ŷd, tyfu rêp a gwerthu'r hadau i Llewelyn Phillips. Roedd Nhad a Llew Phillips yn ffrindiau mawr, y ddau yn cydweithio ar y rhaglen radio, *Pridd, Praidd a Phobol* a gâi ei recordio yn Stiwdio'r BBC yn Heol Alecsandra, Abertawe. Fe fydden nhw'n cydweithio â Ralph Wightman ac A G Street, pobl flaenllaw mewn natur ac amaethyddiaeth. Roedd Nhad yn edmygydd mawr hefyd o Dr Richard Phillips, tad Teleri Bevan. Roedd ganddyn nhw sioe siarad gyda Nhad yn rhyw fath o linc rhyngddyn nhw wrth i ffermwyr ffonio i mewn o bob rhan o Brydain i holi cwestiwn neu fynegi barn.

Pan brynodd Nhad ei ffarm gyntaf, roedd e yng nghwmni Jac y Crown a oedd yn gysylltiedig â phob math o weithgareddau lleol fel y sioe, er enghraifft. Fe fydde fe'n teithio llawer gyda Nhad: yn wir, bu'n feili iddo fe yng Ngwarllwyn. Dyma Nhad a Jac yn mynd i fyny drwy Boncath ac roedd ffarm ar werth fan'ny, Pontfaen, ffarm rhwng Eglwyswrw a Chrymych. Ar y sgwâr gyfagos roedd nifer o ffermwyr wedi dod ynghyd i'r arwerthiant i roi bid am y ffarm. Doedd dim ffordd drwodd, felly dyma Nhad yn gorfod stopo'r car, *Austin Big Seven* – rwy'n gallu cofio mai EJ5775 oedd ei rif e. Ac ar ôl stopio dyma Nhad yn gofyn i Jac sut ffarm oedd Pontfaen? O, iawn, medde hwnnw, ond fod angen to ar y tŷ ffarm. A dyma'r bidio'n dechrau a John Green yr arwerthwr yn gweiddi: *Five hundred . . . six hundred . . . seven hundred . . . eight hundred . . .* A Nhad yn troi ffenest y car lawr ac o'r car, heb hyd yn oed fynd allan, yn prynu'r ffarm am fil o bunnau a gweiddi ei enw: 'J. E. Thomas y Fet'. Wedyn, troi'r ffenest 'nôl lan a gyrru bant i gario mlaen â'i waith. Y noson honno, daeth Jac adre a dweud wrth Mam, 'Chredwch chi byth beth mae J. E. wedi'i brynu i chi – fferm!' Doedd Mam ddim yn rhy hapus!

Tenantio Bontfaen wnaeth e, ac Anti Mag oedd yn byw yno. Ar ôl hynny fe brynodd Treleddyn yn Bridell, ei gwerthu a phrynu ffarm arall. Ond rhyw fath o hobi oedd yn colli arian oedd hyn, a Mam yn grac dros ben. Doedd dim elw yn dod allan o'r peth a'i disgrifiad hi o'r fenter oedd 'hobby-farming'.

Mae'n rhaid i chi gael menyw gref y tu ôl i bob dyn, medden nhw. Ym Mhenrallt-ddu un diwrnod rwy'n cofio gweld *Rover 75* newydd yn dod lan drwy'r dreif gyda Walter Rowlands, oedd yn gwerthu ceir i *Greens Motors*, Hwlffordd, yn gyrru. Roedd hi wedi'r Rhyfel, tua 1950 rwy'n credu oedd hi. A dyma fe'n gyrru lan at y tŷ a chnocio ar y drws. Car gwyrdd, *racing green* oedd e. Neges Walter Rowlands oedd bod Nhad wedi cael sgwrs gydag e wythnos yn gynharach a dweud wrtho, pan ddeuai'r *Rover* newydd ar y farchnad am iddo fe ddod draw ag un iddo fe. Pan glywodd Mam yr esboniad dyma hi'n dweud wrth Walter Rowlands am droi'n ôl a mynd â'r car gydag e.

'Mae ganddon ni eisoes *Vauxhall 12*, *Ford V8 Pilot* a *Hillman Minx*,' medde hi. Roedd Nhad wedi archebu'r tri hynny wedi'r Rhyfel a'r tri wedi cyrraedd gyda'i gilydd. Ar ben hynny roedd ganddon ni geir y fets eraill, *Ford 10* yr un. A dyma Mam yn mynd yn ei blaen gan ddweud wrth Walter Rowlands am wneud beth bynnag roedd e'n mo'yn â'r car, ond doedd e ddim i'w adael ym Mhenrallt-ddu. Roedd croeso iddo aros am ginio, ond dim car.

Ac yn wir, fe arhosodd Walter am ginio ac yno y buodd e yn disgwyl i Nhad ddod adre. A dyma fe'n dweud, 'Wel, Mrs Thomas, rwy'n gweld yn glir pwy sy'n gwisgo'r trowser yn y tŷ hwn.' A Mam yn ateb, 'Wel, rwy'n gwisgo un goes, o leiaf.'

Ac mae'n debyg ei bod hi'n dweud y gwir. Hi oedd yn cadw trefn, yn gofalu am y llyfrau cownt i gyd, er enghraifft. Ac weithiau, a Nhad wedi syrthio i gysgu o flaen y tân, fe fydde Mam yn mynd drwy ei bocedi ac yn cymryd y sieciau yr oedd gwahanol ffermwyr wedi eu talu iddo fe a'u gosod nhw mewn trefn ar gyfer eu danfon nhw i'r banc.

Roedd y ceir oedd ganddo fe yn siang-di-fang. Dim unrhyw drefn ar unrhyw beth. Yn wir, roedd ei geir e fel Siop Gwilym Portland yn Hermon slawer dydd. Roedd Siop Gwilym yn chwedl yn yr ardal. Doedd dim trefn o unrhyw fath yno a'r cyfan â'i ben i waered – beics, sigaréts a dillad yn gymysg â'i gilydd. Roedden nhw'n dweud bod dwy fenyw wedi galw yno unwaith i brynu sgidiau newydd ar gyfer y gymanfa ganu. Fe agorodd Gwilym focs sgidiau a beth oedd ynddo fe oedd un esgid frown ac un ddu. A Gwilym yn dweud, 'Wel diawl erioed, weda i wrthoch chi nawr beth sy wedi digwydd. Mae Mrs Jenkins wedi prynu pâr o sgidie ar gyfer y gymanfa ganu ac mae hi wedi mynd ag un esgid frown ac un ddu gyda hi. Os 'ych chi'n mynd i'r gymanfa, ewch â'r bocs 'ma gyda chi a falle fedrwch chi eu newid nhw fan honno.'

*   *   *

Gyda phedwar fet yn gweithio bob dydd o Benrallt-ddu roedd hynny'n golygu bod llawer o waith yno i ofalu am gynnal a chadw'u ceir. Yno hefyd y bydden nhw'n golchi eu ceir. Fi fydde'n gwneud llawer o'r gwaith hwnnw, ac fe fydde digon o fwd ar geir fet, fe alla i ddweud wrthoch chi. Ar ben hynny fe fydde'u ceir nhw'n dolciau i gyd. Y car fydde Nhad yn ei ddefnyddio i agor ietau. Fydde fe ddim yn trafferthu stopo i'w hagor nhw os oedd e ar ei ben ei hunan ond yn hytrach, pan ddele fe at iet heb ei hagor fe fydde fe'n rhoi pwt iddi â'r car. Yr unig amser fydde'r fets yn gwerthu'r ceir fydde pan fydden nhw'n dechre mygu. Y gair roedden nhw'n ddefnyddio oedd 'ffiwmo'. Car tua phedair oed wedi gwneud tua chan mil, falle. Ychydig iawn o bobol fydde'n ddigon twp i brynu car fet yn ail law.

Roedd diléit mawr gen i mewn ceir, yn enwedig mewn rhifau cofrestru. Roeddwn i'n adnabod ac yn cofio pob rhif. Cofiwch, doedd dim llawer o geir yn Aberteifi bryd hynny yn y pedwardegau. Ond ro'n i'n cofio rhif pawb: y doctor, y cyfreithiwr ac yn y blaen. Dyna'r unig allu oedd gen i, am wn i. Doedd gen i ddim byd tebyg i allu Nhad. Roedd e'n llawer mwy galluog na fi. Rwy'n teimlo'n aml mai fy chwaer yn hytrach na fi ddylai fod wedi ei olynu fe fel fet. Roedd hi'n llawer mwy academaidd ei meddwl na fi. Pan fydde hi'n astudio ar gyfer ei Lefel A fe fydde hi'n cloi ei hunan yn ei stafell wely a Mam yn mynd â bwyd iddi. Roedd hi'n medru gweithio'n ddiwyd ac yn galed. Ond rwy'n ofni mai myfyriwr sâl own i. Pan fyddwn i'n mynd i'm stafell, mynd i'r gwely a chysgu fyddwn i y rhan fwyaf o'r amser. Ond roedd fy chwaer hefyd yn medru llyncu ffeithiau a gwybodaeth yn llawer haws na fi. Ro'n i'n gorfod gweithio'n llawer caletach.

Ond cyn belled ag yr oedd ceir yn y cwestiwn, ro'n i'n athrylith. Fe fyddwn i'n mynd yn gas iawn os na fydde pobol yn gofalu'n iawn am eu ceir. Ac mae rhyw atgofion rhyfedda am geir yn dod yn ôl i fi yn aml. Gyrru adre un noson a gweld olwyn car yn ein pasio ni lawr y ffordd a Nhad yn gofyn, 'Whilsen pwy yw honna?' Daethom i wybod yn ddigon buan pan ddechreuodd ein car ni lusgo ar hyd y llawr, a'r sbarcs yn tasgu! Cofio wedyn y lampau ar y mwdgard blaen yn medru troi a goleuo yn eich wyneb. Dim gwresogydd, wrth gwrs. Ac am yr hen *Ford 10*, po gyflyma fyddech chi'n mynd, arafa i gyd fydde'r weipers yn gweithio. Roedd y weipers yn gweithio drwy aer, felly pan fyddech chi'n dringo rhiw yn y glaw fe fydde gofyn i chi arafu er mwyn i'r weiper symud yn gynt.

Mae'n anodd dychmygu'r ffaith i Nhad gychwyn ar ei bractis yn 1921 yn ardal Castellnewydd-emlyn. Ac ef oedd y cyntaf i brynu *Tin Lizzie*, sef y *Model T Ford* gyda'i lampau carbeid a oedd yn golygu bod yn rhaid i chi roi dŵr arnyn nhw er mwyn eu cynnau nhw. Roedd y petrol yn mynd i'r injan drwy *gravity feed*. Ac os byddai'r tanc yn llai na hanner llawn fe fyddai'n rhaid iddo ddringo rhiw yn rifŷrs fel y gallai'r petrol fynd lawr o'r tanc i'r injan, oedd tu ôl.

Fe fyddai'n cymryd tua awr a hanner iddo fe ddod i lawr o Gastellnewydd i Dudrath. Rwy'n cofio clywed Danny Waun-fach yn adrodd sut y bu iddo ffonio'r fet i ddweud bod ganddo fe gaseg oedd yn methu geni ebol.

'Ble 'ych chi'n byw?'

'Tudrath.'

'Ble mae'r ffarm o ffordd Nanhyfer, 'te?'

A hwnnw'n esbonio. Fel oedd hi'n digwydd roedd yr un fath o fotor-beic yn union gan Danny ag oedd gan Nhad ar y pryd, un 250 cc *BSA*.

'Gwrdda i nawr â chi yn Crofft tua deg o'r gloch.'

Ymhen awr a hanner roedd y ddau yn cwrdd er mwyn tendio'r gaseg. Ac mae'n anodd meddwl nawr, ond byddai oriau yn mynd weithiau ar gyfer un ymweliad fel'na. Wedi'r Rhyfel, wrth gwrs, fe wellodd pethe gyda'r ceir yn fwy soffistigedig a'r ffyrdd yn fwy cymen. Ond byddai Nhad yn treulio oriau lawer ar yr hewl, un car yn teithio tua thrigain mil o filltiroedd mewn dwy flynedd ar hyd hewlydd bach y wlad.

Rwy'n cofio mynd gyda Nhad unwaith at ryw fenyw fach oedd yn cadw un fuwch i lawr yn Nhre-lech. Roedd y fuwch 'ma'n wael iawn a hithau'n fenyw oedd yn achwyn o hyd, dim byd yn iawn neu'r bil yn rhy ddrud. 'Beth 'ych chi'n feddwl am y fuwch, Tomos?' medde hi.

'Wel, dyw hi ddim yn dda, a dweud y gwir mae hi'n wael,'

medde Nhad. 'Rwy'n ofni fod *Peritonitis* arni. Mae hi'n wael iawn.'

'Dyna lwcus yw'r bobol hynny sydd heb wartheg i fecso yn eu cylch,' medde hi – a dim ond un oedd ganddi.

'Wel,' medde Nhad, 'rwy'n ofan y byddi di'r un mor lwcus â nhw fory.'

Cyw o Frid

Prif nodwedd personoliaeth Nhad oedd ei gymdeithasgarwch. Fe oedd y math o ddyn, pan gyrhaeddai fferm lle byddai creadur yn sâl, y byddai'r creadur hwnnw'n gwella cyn iddo fe hyd yn oed edrych arno fe. Roedd ganddo fe'r ddawn i wneud i bobol a chreaduriaid deimlo'n esmwyth yn ei gwmni a byddai ganddo fe stori ar gyfer pob achlysur. Roedd e'r un fath pan fydde fe'n pregethu. Gallai ddefnyddio stori i ddarlunio ac i wella unrhyw destun wnâi e godi. Ac roedd ganddo fe'r ddawn a'r arddull naturiol honno i ddweud stori, boed hi'n stori ddifrifol neu'n un ddoniol.

Fe fu'n arweinydd Gŵyl Fawr Aberteifi am flynyddoedd, a hynny mewn cyfnod pan oedd honno'n ŵyl bwysig iawn, fel Eisteddfodau Pontrhydfendigaid a Llambed, diolch i arian Syr David James, Pantyfedwen. Roedd y cyngherddau nos Sul yn rhai arbennig iawn gyda phrif artistiaid a chorau Cymru'n tyrru yno. Roedd y gwobrau'n uchel ac roedd ennill can punt 'nôl yn y chwedegau yn golygu arian mawr.

Fedrwn i ddim mo'i ddisgrifio fe fel dyn ei filltir sgwâr ond yn hytrach fel dyn ei ugain milltir sgwâr. Roedd pawb yn ei nabod mewn ardal eang iawn. Rwy'n cofio, a finne yn fy ail flwyddyn yn y coleg milfeddygaeth, dod adre â ffrind gyda fi oedd yn aelod o'r tîm rygbi. Roedd e'n chwarae prop a finne'n fachwr, Brian Roservier oedd ei enw fe, bachan o Dde Affrica. Doedd e erioed wedi clywed am eisteddfod heb sôn am fod yn bresennol mewn un. Bodio wnaethon ni a chael sawl lifft mewn ceir a loriau a chyrraedd Aberteifi tua deg o'r gloch.

Roedd hi'n dymor lladd gwair ac wrth i ni gerdded i fyny tuag at y parc lle'r oedd y steddfod yn cael ei chynnal, roedd yr awyr yn llawn tawch gwair wedi'i ladd. Davies Bigni oedd ar yr iet, a chan ei fod e'n fy nabod i'n dda fe ges i a Brian fynd i mewn am ddim. Wrth i ni sefyll yn y cefn fe ddaeth Nhad i'r llwyfan i gyflwyno un o'r corau, a phawb yn gweiddi 'Ust! Ust!' Neb am golli gair. Wrth ddisgwyl i'r côr ffurfio ar y llwyfan fe aeth ati i ddweud stori, sef y ffaith fod pawb oedd yn ymddangos ar y llwyfan wedi gorfod paratoi yn galed. Doedd dim byd mewn bywyd, medde Nhad, yn dod heb waith. Roedd hi'n anodd, medde fe, cael y pethe gorau mewn bywyd heb ymarfer, heb ddiwydrwydd a heb chwysu.

'Mae diwydrwydd yn iawn ynddo'i hunan,' medde fe, 'ond dyw e ddim gwerth os yw e'n mynd yn bellach na'ch sbort chi mewn bywyd. Rhaid i chi gyfuno diwydrwydd a hiwmor. Fel y dyn oedd yn golchi ffenestri yn y *Park Hotel* yng Nghaerdydd. Roedd Richard Burton wedi dod yno gyda'i wraig newydd, Elizabeth Taylor. A dyma'r bachan oedd yn golchi ffenestri'n edrych i mewn a dyna lle roedd Liz yn y bath. Wnaeth e ddim edrych arni o gwbwl, a hi'n methu deall pam nad oedd y dyn hwn yn fodlon edrych arni hi, y fenyw brydferthaf yn y byd. A dyma hi'n codi ar ei thraed yn noeth a throi tuag ato fe gan geisio tynnu ei sylw. Fe stopiodd y bachan lanhau'r ffenest a hithau'n meddwl ei fod e'n ei gwerthfawrogi hi nawr. Ond dyma'r dyn yn troi ati a dweud, "Beth sy'n bod arnat ti, cariad? Wyt ti ddim wedi gweld dyn glanhau ffenestri o'r blaen?"'

Roedd y gynulleidfa, rai miloedd ohonyn nhw, wrth eu bodd yn chwerthin. Ac yno yn y cefn, fi a Brian yn sefyll yno fel dau drempyn. A dyma fi nawr yn cymryd arna i wrth Brian nad own i'n nabod yr arweinydd ar y llwyfan. 'Does gen i ddim syniad pwy yw'r boi 'ma,' meddwn i, 'ond mae e'n storïwr da.'

'Ydi,' medde fy ffrind, 'mae e'n dal y gynulleidfa yng nghledr ei law.'

Ac roedd dwy fenyw fach yn eistedd o'n blaen ni gyda'u *Thermos* a'u brechdanau, y ddwy wedi bod yno drwy'r dydd. A dyma'r ddwy yn edrych 'nôl arna i cyn i un droi at y llall a dweud yn swta, 'Meddyliwch am y diawl twp 'na. Dyw e ddim yn nabod Tomos y Fet!'

Ac yn rhyfedd iawn mae'r milfeddyg wedi bod erioed – ac yn dal i fod – yn rhan o'r gymdeithas. Mae pobol yn eich derbyn chi, yn ymddiried ynddoch chi. Pan fyddwn i'n galw gyda chwsmer fe fyddwn i'n cael hanes eu bywyd, eu problemau, eu sefyllfa ariannol nhw. Fe fyddwn i'n teimlo fel rhyw dad Catholig yn cymryd cyffes. Ac yn aml fe fyddwn i'n medru eu helpu nhw trwy ddweud rhyw air bach fan hyn neu fan draw.

Mae yna berygl i rywun ddod allan o goleg a meddwl ei fod e'n rhywun pwysig iawn sy'n gwybod popeth. Ond rwy'n cofio un Athro yn y coleg yn dweud wrthon ni, 'Peidiwch ag anghofio, fechgyn, fe wnaiff llawer o'r creaduriaid fyddwch chi'n eu tendio wella er gwaetha'ch triniaethau chi.' Mae angen i ni gadw'n traed ar y ddaear. Mae pethe eraill yn bwysig mewn bywyd a dyna pam wnaeth Nhad fynd ati i ddarlithio a phregethu ac i gynnig ei athroniaeth am fywyd, am bobol ac am gymdeithas. Roedd y gymdeithas Gymraeg amaethyddol yn bwysig iddo fe ac roedd e am gyfrannu tuag ati yn ei ffordd ei hun.

*   *   *

Roedd Mam yn un o chwech o ferched a dau frawd. Fe fu farw un brawd, David, yn ifanc, yn bump ar hugain oed. Teulu Richards oedden nhw, yn dod o Gilfforch yn ardal Blaenwaun, Meidrim. Fe brynodd Tad-cu, sef Richards Cilriwe, y ffarm, a fan'ny y magodd ei blant. Yn y dyddiau hynny byddai ffermwyr yn dibynnu ar fàsgynhyrchu, hynny yw cael llawer o blant i redeg y ffarm.

Roedd Cilriwe yn un o'r ffermydd gorau yn Sir Benfro o ran tyfu cnydau – porfa a llafur – heb lawer o weryd. Roedd hi'n ffarm naturiol oedd yn gallu tyfu a thyfu. Roedd y tŷ yn un hyfryd. A phwy ddaeth 'nôl i ffermio yno gyda Jac, ei gŵr, ond Anti Bess, neu Elizabeth Richards, y ferch hynaf. Roedd ganddyn nhw ddau o blant, Daff a Huw. Elinor oedd y ferch ifanca, hithe'n fam i Rita, Beti, John ac Eirlys, a Mam wedyn y nesa ati. Fe ddaeth merch arall, Annie, wedyn yn fam-yng-nghyfraith i Oswyn Harries, un o'r fets oedd gyda ni yn y practis pan briododd e â Molly. Yna roedd Sal, a gafodd fab o'r

30

enw Griff a dwy ferch, Beti a Myra. Roedd Anti Mag yn fam i John Bathouse. A Howel y mab, tipyn o misffit a dafad ddu'r teulu. Roedd e'n hoffi crwydro'r marts ac yn dipyn o gymeriad. Roedd ganddo fe ddau fab, Jac a Brinli. Fe fuodd Brinli yn byw gyda ni ym Mhenrallt-ddu fel gwas. Yno hefyd fe ddaeth morwyn o'r enw Pegi. Hi oedd yn gofalu amdana i pan o'n un bach. Fe wnaeth Brinli a Pegi briodi a setlo yn Wenfo, Rosehill, a ffermio fan hynny.

Roedd yr hen Richards Cilrhiwe yn dipyn o gymeriad, mae'n debyg. Er mwyn cadw'r ddau was i mewn fe fydde fe'n prynu sigaréts a chwrw a ffrwythau er mwyn eu stopo nhw rhag mynd mas ar nos Sadwrn i yfed. Roedd capel yn bwysig iawn yn y dyddiau hynny, a phetai merch yn dod i drwbwl a chael plentyn cyn priodi byddai'n rhaid iddi hi a'i chariad fynd o flaen eu gwell i ofyn am faddeuant ac am gael mynd 'nôl i'r capel. Rwy'n cofio Nhad yn dweud am John Green, gweinidog Twrgwyn yn Rhydlewis. I chi gael deall, does dim tafarn yn Rhydlewis hyd heddiw oherwydd y traddodiad o lwyrymwrthod oedd yno. Byddai'r bregeth bob dydd Sul yn pwysleisio dim smoco a dim yfed. Ac fe fydde fe'n mynd i hwyl ar y pynciau hyn. Ond un bore dyma Wil Blaenbarre, un o'r diaconiaid oedd yn arfer eistedd yn y côr mawr, yn Amenio John Green, yn codi i odro'i bedair buwch a dim golwg o'r mab o gwmpas yn unlle. Fe aeth Wil lan i'r llofft a dyna ble roedd y mab yn y gwely gyda'r forwyn. A dyma Wil yn ysgwyd ei ben a gofyn, 'Wel jiw, jiw, beth nesa? Smoco, glei.'

Roedd merched Cilrhiwe yn ffyddlon iawn yng Nghapel Tyrhos. Fe fydden nhw'n hoffi canu, ac roedd y cymanfaoedd canu yn bethe mawr bryd hynny. Y gymanfa bwnc wedyn. Ac wrth gwrs, y gwyliau mawr fel y Sulgwyn a'r Pasg. Fe fydden nhw'n cerdded, y merched ifainc yma, o Gilrhiwe lawr i Ysgol y Bridell. John Oliver Jones oedd y prifathro yno ac roedd rhyw hen fenyw fach yn byw gerllaw, fe fydde Mam yn ei galw hi'n Martha Pencestyll. Roedd ganddi draed clwb. A phan fydde'r plant yn dwyn afalau, fe fydde Martha, druan, yn ceisio rhedeg ar eu hôl nhw ac yn ffaelu.

Yna fe ddechreuodd Tomos y Fet alw yng Nghilrhiwe. Dod i garu, wrth gwrs. Ac rwy'n cofio Nhad yn dweud am y tro pan ofynnodd i Richards Cilrhiwe a gâi e briodi Mam. Roedd Nhad wedi cael hyd i botel *Johnnie Walker Black Label* ac fe aeth e â honno gydag e. Welodd e byth mo'r botel wedyn. Fe agorodd Richards hi, ac yn Cilrhiwe y buodd hi. Yn rhyfedd iawn, *Black Label* oedd hoff ddiod Nhad byth wedyn. Doedd y *Red Label* ddim yn gwneud y tro.

Dyma'r cyfnod pan oedd y capel ynghanol bywyd y gymdeithas, a'r pregethwyr yn rhyw fath o sêr. Yn wir, actorion oedden nhw, gyda'r ddawn i ddal cynulleidfa, pobol fel y Parchedig John Thomas Blaenwaun a Bethseida. A dyna M P Morgan wedyn. Yr un gafodd effaith arna i fel plentyn oedd Currie Hughes. Yma yn Aberteifi roedd D J Roberts, un o'r pregethwyr mwyaf talentog ac athrylithgar oedd gan yr Annibynwyr. Isiah Williams, Bethania, wedyn. I ni roedd rhain yn fwy na dynion meidrol, roedden nhw'n fodau goruwch-naturiol.

Am Currie Hughes, dim ond un stribyn o wallt oedd ganddo fe. Roedd e'n ei droi e rownd ar dop ei ben fel marc cwestiwn. Ond os oedd ei wallt e'n denau, doedd hynny ddim yn wir am ei bregethau.

Roedd mynd i'r capel a gwisgo lan ar gyfer hynny yn rhywbeth i'r teulu. Mae gan Elizabeth, fy ngwraig, hanes am ei brawd, a hwnnw ddim eisie mynd i'r capel, yn cloi ei hunan yn y toilet yn y bore, a Gareth, eu brawd arall, yn gorfod ei berswadio fe i agor y drws trwy gynnig rhywbeth iddo fe am fynd gydag e i'r Ysgol Sul.

Gan fod Nhad yn bregethwr fe fydde fe'n astudio llawer o'r Esboniadau gan fynd i ddyfnderoedd a pherfeddion pob pwnc. Roedd hyn yn digwydd yn yr Ysgol Sul, a dyna pam nad o'n i'n hoff o fynychu'r Ysgol Sul rhyw lawer. Fe ges i fy ngosod ynghanol pobl llawer hŷn na fi, dynion mewn oedran, a'u Hesboniadau nhw, os nad yn eu dwylo, yn gorwedd wrth eu penelin.

Fe wnes i eisoes gyfeirio at John Thomas Blaenwaun a

Bethseida, ac mae stori amdano fe wedi aros ar fy nghof i. Roedden nhw am iddo fe fynd i fyw yn y Mans yn Llandudoch. Ond roedd John yn hoffi byw yn Aberteifi yng nghartre'i wraig, Penymarian. Ar ôl y cwrdd nos Sul dyma Charles Ladd yn sefyll ar ei draed ac yn codi'r pwynt eto y bydde fe a'i gyd-aelodau'n falch petai'r gweinidog yn dod i fyw i Landudoch. Fe gododd John gan ateb, 'Rwy'n falch iawn eich bod chi, y brawd Charles Ladd, a'r aelodau i gyd yn meddwl amdana i a Mrs Thomas. Ond mae'n rhaid i fi ddweud wrthoch chi, r'yn ni wedi penderfynu mai yn Aberteifi rydyn ni am dreulio gweddill ein hoes.' Ac fe aeth ymlaen i gyhoeddi'r Fendith. Dim problem. Roedd popeth wedi'i setlo o fewn eiliadau a phawb yn mynd adre heb unrhyw ddadl. Beth arall fedren nhw'i wneud?

Bob dydd Sadwrn fe fydde Thomas yn galw yn ei *Rover 75*, car â'r golau yn y canol, un o'r rhai cyntaf i fod felly. Rwy'n cofio rhif y car o hyd, ODE 53. Fe ddeuai John allan o'r car, a finne, yn grwt, yn cael troi'r car rownd iddo fe. Doedd neb arall yn cael gwneud hynny. Wedyn fe gawson ni'n hunain gar o'r un fath yn union, rhif RDE 474.

Roedd y Lodj y tu ôl i ni lle trigai'r garddwr. Ac roedd un o'r garddwyr hyn, Guto, yn gymeriad arbennig iawn ac yn cystadlu'n rheolaidd gyda'i frawd, Joni Cwm-march, yn y sioe arddwriaethol. Cyn y sioe fe fydde'r ddau wrthi yn y tŷ gwydr, lle mae'r *conservatory* gen i heddiw, yn paratoi drwy bolishio'r tato ac yn y blaen.

Roedd Guto hefyd yn ddiacon gyda John Thomas, ac Amen ac Amen oedd hi rhwng y ddau. Fe fydde John Thomas yn galw'n rheolaidd i gasglu llysiau oddi wrth Guto. Ac yno y bydde nhw'n trafod materion y capel.

Roedd tri o blant yn y Lodj – Mair, Glenys a John James Davies – ac fe dyfon ni lan gyda'n gilydd, nhw'u tri a Barbara fy chwaer a minne. Roedd Guto yn ffigwr pwysig iawn i ni fel teulu. Nid yn unig roedd e'n arddwr da ond roedd e hefyd yn giamster ar weithio cwrw cartre – nid y cwrw cartre sy'n dod mewn pecyn o'r siop ond y stwff iawn oedd yn arfer cael ei facsu yng Nghwm Gwaun adeg Calan Hen. Ac roedd cwrw

Guto yn stwff cryf. Bydde fe'n ei gadw fe nes bydde'r melyster yn mynd allan ohono fe. Un bore cyn y Nadolig roedd Guto wedi gwneud potel neu ddwy yn arbennig ar gyfer yr Ŵyl, a'r poteli yno tu ôl i'r *Aga*. Fe alwodd y postmon, a'r peth gwaethaf wnaeth hwnnw oedd dweud, 'Gwranda 'ma, Guto, sa'i wedi cael cwrw cartre erioed a allai fy meddwi i.' Fe roddodd Guto un winc arna i a gafael yn un o'r poteli o'r tu ôl i'r *Aga*. Hen fflagon seidir *Bulmers* oedd hi, ac erbyn i'r postmon yfed dau beint, roedd e'n feddw rhacs. Fe welson i fe, bachan o Landoch oedd e – ie, Llandoch, nid Llandudoch – yn reidio'i feic o un ochr i'r dreif i'r llall. Fe gwympodd, a'r bag post yn llawn cardiau Nadolig. Fe fu'n rhaid i ni fynd ag e adre i Landoch. A Guto a fi aeth â'r cardiau rownd i Napier Street a'r strydoedd cyfagos y bore hwnnw.

Byddai Nhad nid yn unig yn pregethu ond yn darlithio cryn dipyn mewn capeli, ac un noson fe aeth Guto gydag e i lawr i Gwm Gwaun. Adeg Calan Hen oedd hi, sef y trydydd ar ddeg o Ionawr. A dyma Guto yn awgrymu stop fach gyda Nesta yn y Trewern Arms am wisgi bach, neu ychydig o foddion, yn ôl Guto. Doedd Nhad ddim yn rhyw hapus iawn o feddwl am fod â gwynt wisgi ar ei anadl mewn capel. Ond i mewn â nhw ac fe yfon nhw ddau neu dri. Wrth iddyn nhw fynd i mewn i'r capel wedyn, dyma Guto yn dweud wrth Nhad am beidio â becso. Roedd e'n medru gwynto tawch y cwrw macsu ar anadl aelodau'r gynulleidfa. Doedd neb ohonyn nhw'n mynd i wynto'r wisgi.

Perthynas i Guto oedd Teifion Morris, Brondesbury. Hwnnw wedyn yn galw'n rheolaidd gyda ni. Pan oedd e yn Brondesbury Park roedd cysylltiad agos gydag e â Pride Moretta of Thorn. Fe brynwyd y gaseg gan Jack Evans. Ond Teifion oedd wedi ei magu hi.

Roedd hwn yn gyfnod diddorol gyda llond y lle o gymeriadau, pobl fel Guto a Teifion, Teulu Williams y Ferwig, Bois Tregibby, Bois Ffynnoncyff, Bois Llwynpiod a Bois y Gotrel. Roedden nhw'n gymdeithas glòs iawn ac yn gefnogol iawn i bob achos da. Rhyw ymgasglu fydden nhw yn y Cliff

Hotel i gymdeithasu ac i ganu. Mae'r teuluoedd mawr hyn i gyd wedi mynd.

Pan o'n i yn y coleg yn Llundain rwy'n cofio mynd i Castle Street un noson, lle mae Capel y Bedyddwyr, a phwy oedd yn pregethu yno, wedi dod fyny'r holl ffordd o Aberteifi, ond John Thomas, Blaenwaun. Ac roedd e yn ei bomp yn actio'r bregeth, yn dod i lawr o'r pulpud at y gynulleidfa gan roi perfformiad i'w gofio. Ro'n i lan yn y galeri ynghanol criw o fyfyrwyr. A dyma fe'n dechre sôn am Aberteifi. 'Rwy am sôn wrthoch chi am un o'r diaconiaid, Charles Ladd,' medde fe. A dyma fe'n sylwi arna i yn y galeri. A dyma waedd.

'Richard! Richard Penrallt-ddu! Rwyt ti'n ei nabod e, on'd wyt ti?'

A dyna lle ro'n i, ynghanol Llundain a John Thomas Blaenwaun yn fy nghyfarch i.

Rwy'n cofio Philip Jones, Porthcawl, yn dod i aros gyda ni pan o'n i'n blentyn. Ac enw'r ystafell ble cysgodd e, hyd y dydd heddiw, yw Stafell Philip Jones. Roedd Nhad yn edmygydd mawr ohono fe gan fod Philip yn areithiwr ac roedd dyfnder mawr i'w bregethau. Mae un o'i storïau fe wedi aros ar fy nghof, y stori o'r Beibl am y menywod â'r lampau, pump ohonyn nhw wedi gofalu llenwi eu lampau ag olew a'r pump arall heb wneud. 'Roedd pump yn gall a phump yn ffôl,' medde Philip. A bydde fe'n mwynhau cyfieithu ambell i frawddeg er mwyn gwneud strôc. 'Five were wise,' medde fe, 'and five were otherwise.'

Meddyliwch am Owens Glanarthen, Glynarthen, wedyn. Ifaciwî oedd e, ond roedd e wedi darllen y Beibl o ddechre Genesis i ddiwedd y Datguddiad chwech neu saith o weithiau. Fe fydde fe'n cymryd rhan yn y gwasanaethau yn darllen ac yn gweddïo. Un noson dyma fe'n gweddïo ac yn dweud, 'Arglwydd mawr, dyma ni eto'n troi atat Ti mewn gweddi. Rwyt Ti'n hollalluog. Rwy'n gofyn i Ti heno am dipyn o wynt i sychu'r gwair. Sai'n gofyn i Ti am haul, sai'n gofyn i Ti am wres. Ond dere ag ychydig o wynt. Gobeithio dy fod Ti'n sylweddoli, Arglwydd, na alla i ddim bwydo dom i'r gwartheg yn y gaea. Rhaid i fi gael gwair ac ychydig o dymer ynddo fe.'

Y noson honno fe gododd corwynt nes bod y gwair wedi'i chwythu fyny ar ben y cloddiau a'r parc yn foel. Ymateb Owens oedd, 'O damo, Arglwydd, dyna beth yw dwli nawr 'to.'

Bryd arall roedd rhywun wedi dwyn ieir oddi wrth ei chwaer. Ac yn y gwasanaeth y Sul nesaf dyma Owens yn gweddïo, 'O, Arglwydd mawr, rwyt Ti'n hollalluog,' medde fe unwaith eto. 'Rwyt Ti'n gwybod popeth. Rwyt Ti'n gwybod, Arglwydd, pwy sy wedi dwyn ieir Mari'n chwaer. Cofia di, mae "damn good guess" 'da fi hefyd.'

'O, Arglwydd mawr,' medde fe ar achlysur arall, 'Ti'n gweld popeth. Ti'n gweld yn y dydd ac yn gweld yn y nos. A dweud y gwir, Ti fel cath.'

I bobol fel'na roedd y capel yn golygu popeth. Roedd Mam a Nhad yn teimlo fel'ny ac fe ges i fy nghodi yn yr un ffordd. Ond rhain oedd y cymeriadau. Eto rwy'n ofni weithie, oherwydd diweithdra a dylanwadau eraill, bod ein cymeriadau ni'n gorfod gadael y broydd, gadael Ceredigion, gadael Cymru. Beth yw'r ateb? Ceisio cadw cymdeithas yn fyw, hwyrach. Casglu gyda'n gilydd, glynu gyda'n gilydd.

*   *   *

I fi, pan o'n i'n blentyn, roedd tri pheth yn bwysig iawn: y capel, pregethwyr a'r eisteddfod. Nid yn unig roedd pregethwyr fel Philip Jones yn aros gyda ni ond rwy'n cofio Lady Megan Lloyd George yn aros gyda ni hefyd. A Pegi'r forwyn yn mynd â phaned i fyny iddi yn ei stafell lle'r oedd hi'n paratoi araith ar gyfer Gŵyl Fawr Aberteifi. Ac i fi roedd e'n beth mawr iawn fod merch Lloyd George yn aros gyda ni ym Mhenrallt-ddu.

Erbyn heddiw mae plant, yn cynnwys fy mhlant i, yn cael digon ar y capel a'r Ysgol Sul erbyn maen nhw tua'r deuddeg oed. Mae'r cyfrifiadur wedi cymryd lle'r Beibl a'r llyfr emynau. Ond yr hyn yr oedd y capel yn ei wneud oedd darparu rhyw fath o gymdeithas fel y gallai pobol fynd â'u plant yno. Bwyta brecwast gyda'n gilydd, gwisgo lan a mynd yn barchus i'r capel. Mae pethe wedi newid. Y duedd i blant yn America nawr yw bwyta dim byd ond *Chip Sticks* a *pizza* o'r ffwrn meicrodon ac yfed *Coca Cola.* D'yn nhw ddim yn cymdeithasu gyda'r teulu rownd y ford i sgwrsio am ddigwyddiadau'r dydd. Ac mae'r un peth yn digwydd yma erbyn hyn.

Yn ogystal â'r Ŵyl Fawr, digwyddiad pwysig arall fyddai Sioe Aberteifi, a phob blwyddyn cynhelid cinio'r sioe. Y dyn mawr oedd ynghlwm â phopeth oedd Owen M. Owen. Roedd e a Nhad yn aelodau o bwyllgor y sioe a'r Ŵyl Fawr. Byddai cinio'r sioe yn achlysur pwysig iawn, a Nhad wedi bod yn gyflwynydd yno am flynyddoedd. Ef fydde'n cyflwyno'r siaradwyr gwadd, yn eu plith Aelodau Seneddol fel Roderic Bowen, Elystan Morgan a Geraint Howells. Fel y byddai aelodau'r bwrdd mawr yn cyrraedd, fe fydde Owen yn canu cloch, a phawb yn codi i'w croesawu. Wedi i Nhad roi'r gorau i'r gwaith fe wnes i gymryd yr awenau oddi wrtho. Yng Nghastell Maelgwyn neu yn y Cliff y câi cinio'r sioe ei gynnal. Byddai Owen Owen ynghanol pob digwyddiad o bwys. Fe oedd y cymeriad mawr yn Aberteifi.

Ac roedd Gŵyl Fawr Aberteifi yn ŵyl fawr yng ngwir ystyr y gair. Wrth gwrs, yn y cyfnod cynnar hwn pan oedd Owen yn ei bomp fe fydde miloedd yn tyrru yno. Ymhell cyn dyddiad yr ŵyl, fe fydde John Bathouse yn gyrru Owen ledled Cymru i ganfasio gwahanol gorau ar gyfer cystadlu yn Aberteifi. A'i ddiwydrwydd e oedd yn gyfrifol am lwyddiant yr ŵyl. Roedd e'n ddyn plaen iawn. Nid gofyn i chi wneud rhywbeth fyddai Owen, ond dweud.

Roedd llwyddiant y Sioe yn adlewyrchu'r ffaith fod amaethyddiaeth yn gryf. Fe gododd pethe wedi amser Nhad. Un o'i ddywediadau mawr oedd: 'Beth bynnag mae'r ffermwr yn ei brynu, rhywun arall sy'n rhoi pris arno fe. Popeth mae'r ffermwr yn ei werthu, rhywun arall sy'n rhoi pris arno fe.' A'r archfarchnadoedd heddiw sydd â'r gair olaf.

Rhan bwysig o ffermio pan ddechreues i oedd y slogan *Clean Milk.* Erbyn heddi r'yn ni'n siarad am *Cell Counts.* Y cyfan yw *cell count* mewn buwch yw nifer y celloedd hyn sydd mewn llaeth. O dan y microsgop mae modd gweld a yw'r fuwch yn cael ei heffeithio gan ryw haint. Os yw'r cyfrif celloedd yn uchel, mae'r llaeth yn fudr. A heddiw mae gwell tâl i'r ffermwr os yw'r cyfrif llaeth yn isel. Ond nid *Cell Count* oedd yn cyfrif pan oedd Nhad yn gweithio fel fet ond *Clean Milk*. Byddai'r llaeth yn mynd mewn tshyrns o Boncath lan i Lundain, a bryd hynny, wrth gwrs, y dechreuodd y Cardis werthu llaeth yn Llundain – ac mae 'na lawer o sôn fod rhai ohonyn nhw wedi gwneud ffortiwn trwy roi dŵr ar ei ben e. Ddweda i ddim am hynny, ond Llaeth Glân oedd y peth mawr. Byddai'r llaeth yn para, a ddim yn suro ar ôl diwrnod neu ddau.

Byddai dosbarth llaeth yn arfer cael ei gynnal yn Boncath, a menyw yn dod rownd i roi gwersi. Sybil Price oedd ei henw hi, hyfforddwraig llaeth oedd yn dysgu merched a bechgyn sut i gynhyrchu llaeth glân. Cyn bod sôn am basteureiddio a homogeneiddio a sterileiddio, glendid oedd y peth pwysig, a dôi hynny trwy olchi a dysgu sut i odro gwartheg yn lân. Fel yn hanes Mudiad y Ffermwyr Ifainc, roedd hwn yn mynd drwy'r wlad yn gyfan a byddai cystadlu ar y pwnc. Un o'r pethe mwyaf i ddigwydd erioed ym mywyd Mam oedd iddi gael ei dewis i fynd i Olympia yn Llundain i'r Sioe Laeth yn y 1930au ac fe enillodd hi wobr Brenhines Laeth Gwledydd Prydain. Nid rhyw gystadleuaeth 'Pwy yw'r berta?' oedd hon. Ro'n nhw yno am ddau ddiwrnod yn eu menig a'u cotiau gwynion yn cystadlu. Fe enillodd hi gwpan anferth, a'r peth fydde hi'n siarad amdano fe fwyaf ar ôl hynny oedd iddi dderbyn y cwpan o law Mahatma Gandhi. Meddyliwch, merch o Boncath yn siglo llaw â Gandhi.

Wel, fe briododd hi â fet, gan edrych ar ei ôl am flynyddoedd maith. Roedd ei dyletswyddau hi yn eang a niferus iawn. Yn ogystal â gofalu ar ôl y llyfr cownt a gwacáu ei bocedi wedi iddo ddod adre'r nos yn flinedig, a rhoi'r sieciau roedd e wedi'u cael gan wahanol ffermwyr mewn trefn, hi hefyd oedd yn ateb y ffôn. Ac fe ddaeth hyn yn rhan fawr, fawr o fywyd gwraig fet. Yn fy amser i, roedd fy ngwraig i, a gwragedd fy mhartneriaid i – yn wir, gwraig pob fet – yn trefnu popeth. Y nhw fydde ar dair noson o'r wythnos ac ar benwythnosau yn gosod popeth mewn trefn. Erbyn hyn mae pethe wedi newid. Mae 'na swyddfa ganolog nawr, a'r gwragedd yn cael llonydd i fod gartre os ydyn nhw'n dymuno. Ac mae meddygon yr un fath. Mae rhai yn ofni fod hyn wedi arwain at dorri'r cysylltiad personol, yn enwedig mewn practis meddygol lle mae dau neu dri doctor yn gweithio. Yn yr hen ddyddiau roedd modd i chi gael yr un meddyg bob tro. Dyw hynny ddim yn wir bellach. Mae'n rhaid i chi dderbyn y meddyg gewch chi. Ac mae'r un peth yn wir am y fet mewn ambell bractis.

Yn y dyddiau cynnar roedd y fet yn cael ei gyfrif fel un o griw a fydde'n galw'n rheolaidd. Ar wahân i'r meddyg fe gaech chi'r plismon, y postmon a'r gweinidog yn galw yn eu tro.

Ers i Nhad gychwyn ac i finne roi'r gorau iddi fe aeth ymron 80 mlynedd heibio. A'r hyn sy'n rhyfedd yw bod yr un ffactorau yn cael effaith heddiw ag oedd yn 1921 pan ddechreuodd e mewn busnes. Beth sydd wedi digwydd nawr i wneud pethe'n wahanol yw dyfodiad yr yswiriant a sicrwydd ffarm, pwyslais ar yr amgylchedd, iechyd a diogelwch wedyn. Fe ddaeth rheolau di-rif nad oedd yn bodoli yn yr hen ddyddiau. Doedd fawr ddim biwrocratiaeth yn bod yn yr hen ddyddiau. Byddai'r meddyg a'r milfeddyg yn dibynnu fwy ar synnwyr cyffredin nag ar reolau, ac ar gynghori ar sail synnwyr cyffredin.

Ar y llaw arall, os ewch chi i mewn i fynwentydd a darllen cerrig beddau'r rhai fu farw yn ystod y cyfnod, fe welwch chi fynwentydd sy'n llawn o bobol deugain oed ac iau. Ro'n i'n digwydd bod ym mynwent Llandyfrïog dro'n ôl ac roedd y rhan fwya a fu farw yn ugeiniau'r ganrif ddiwetha o dan yr hanner cant. Mae pobol yn byw yn hŷn heddiw oherwydd y gwelliannau sydd wedi digwydd dros y blynyddoedd diwethaf mewn bwyta'n iach. Doedd neb yn meddwl bryd hynny am golesterol, neb yn meddwl am swyddogaeth yr afu ac am yr arennau. Ar y llaw arall, mae mwy o achosion o glefyd y siwgr heddiw. Mae yna gannoedd o filoedd o bobol yn cerdded o gwmpas yn dioddef o glefyd y siwgr heb iddyn nhw fod yn ymwybodol o hynny. A beth am broblemau'r esgyrn, y cefn, y cluniau a'r penglinau? Pwy sydd i ddadlau mai'r gwahaniaeth yn y llaeth, hwyrach, sy'n gyfrifol am hynny? Neu'r gwahaniaeth yn yr hyn r'yn ni'n ei fwyta?

Roedd pethau'n llwm yn y tridegau. Rwy'n cofio Nhad yn sôn am rywun yn cerdded o Drelech i Gaerfyrddin gan yrru pump neu chwe llo ac yna eu gyrru nhw 'nôl eilwaith am ei fod e'n methu â'u gwerthu nhw. Roedd e'n amser caled. Ond roedd cryfder yn dod o'r gymdeithas, o gydweithio.

*   *   *

Dyn ceffyl oedd Nhad. Roedd e'n byw ac yn gweithio yn oes y ceffylau. Dyw milfeddygon yn yr ardal hon heddiw ddim mor arbenigol mewn ceffylau am y rheswm syml nad oes llawer o geffylau yn bod y dyddiau hyn, ar wahân i geffylau ar gyfer hamddena. Mae milfeddygon sy'n arbenigo mewn ceffylau i'w cael mewn ardaloedd lle mae ceffylau'n cael eu cadw at bwrpas arbennig, rasio neu fridio neu ferlota, er enghraifft. Chefais i ddim cymaint o brofiad gyda cheffylau ag a gafodd Nhad. Yn un peth, fe ddaeth mecanyddiaeth ac fe welwyd un tractor yn cymryd lle pedwar dyn. Mae'r erydr wedi mynd yn fwy o faint. Erydr bach gaech chi slawer dydd. Heddiw maen nhw'n erydr o tuag wyth i ddeg cwys.

Mae 'na stori am hen foi yn aredig gyda cheffyl, ac yn gwneud hynny'n hamddenol, 'nôl a blaen, 'nôl a blaen ac yn rhoi hoe i'r hen geffyl yn aml ar ben talar. A'r gweinidog ar ei daith yn pwyso ar y llidiart ac yn gwylio.

'Shwd 'ych chi, Dafi Jones?'

'O, da iawn,' medde'r hen foi.

'Rwy'n sylwi eich bod chi'n aros bob dwy neu dair cwys.'

'Ydw. Mae'r hen gaseg yn hen ac mae'n rhaid iddi gael awe fach bob tair cwys.'

'Mewn diwrnod cyfan, mae'n rhaid eich bod chi'n colli awr neu fwy o amser mewn parc mawr wyth erw fel hwn. Pam na ddowch chi â chryman gyda chi i drasho ychydig o'r clawdd tra bo'r ceffyl yn cael awe?'

'Syniad da,' medde'r hen foi. 'Diolch yn fawr i chi am y cyngor.'

Y dydd Sul wedyn, cyn i'r cyfarfod gychwyn dyma'r hen ffermwr yn mynd fyny i'r pulpud at y pregethwr yn cario cwdyn. A dyma fe'n rhoi'r cwdyn i'r gweinidog.

'Dyna chi,' medde fe, 'ychydig o datws. Fe allwch chi eu crafu nhw tra'n bod ni'n canu'r emynau.'

Mae 'na wahaniaeth rhwng y ffordd mae'r milfeddyg a'r meddyg a'r deintydd yn rhedeg eu busnesau. Mae gan y milfeddyg rywbeth fel tri neu bedwar cant o ffermydd. Mae gan y meddyg a'r deintydd hyn a hyn o gwsmeriaid unigol. Ond yn y pen draw, rhedeg busnes ydyn ni, ac yn achos y milfeddyg mae'n rhaid danfon biliau allan. Yn yr hen ddyddiau fe fydden ni'n gwneud hynny bob tua thri mis, bob chwe mis, hyd yn oed. Yn aml iawn fe fyddai bil y fet yn cael ei adael y tu ôl i'r ffôn, tu ôl i'r cloc neu ar sil y ffenest. Ac yno y byddai'r bil am fisoedd yn melynu. Weithiau fe fyddwn i'n cymryd diwrnod cyfan bant i fynd i gasglu'r biliau mwyaf.

Rwy'n cofio stori am Ifan Gof, crefftwr penigamp – ond roedd e'n ddrud; yn ôl yr hen ddywediad lleol, roedd e'n drwm ar y pensil. Dyna natur y Cardi ynddon ni, mae'n debyg. Y Cardi yw rhywun sy'n bwrw'i fara ar wyneb y dyfroedd ond sy'n gwneud yn siŵr bod y teid ar ei ffordd i mewn. Ond os oedd Ifan yn ddrud, dim ond tua unwaith y flwyddyn bydde fe'n danfon y biliau allan. Un tro fe aeth allan i gasglu dyled a derbyn cwyn fod y bil yn fawr. 'Falle'i fod e,' medde Ifan, 'ond mae e'n fach am ei oedran.' Talu mewn arian parod fydde pawb bryd hynny, gan lwyddo i guddio ambell i gyfrinach oddi wrth y Dreth Incwm.

Cymeriad arall oedd Ifan Tregibby. Roedd llawer o ffermwyr bryd hynny, wrth dalu, yn gofyn am lwc. Hynny yw, gofyn am ryw gildwrn bach yn ôl. Ond fe fydde Ifan, bob tro y bydde fe'n talu'r bil, yn agor cist fy nghar ac yn cydio mewn potel o rywbeth neu'i gilydd fel lwc. Y geiriau anfarwol bob tro fyddai: 'Beth am lucky dip 'te?' Wedyn fe sylweddolodd e y bydde'r botel yn mynd i lawr ar y bil nesaf. Fe ges i bregeth ganddo fe unwaith am beidio â'i wahodd e i dderbyniad rhad ac am ddim yn y Cliff Hotel gan ryw gwmni cyffuriau neu'i gilydd. Fe fydde pethe fel'na'n digwydd yn aml, rhyw arbenigwr yn siarad o flaen llond stafell o gwsmeriaid oedd wedi eu gwahodd yno. Roedd Ifan yn un o'n cwsmeriaid gorau ac roedd e braidd yn grac am na chafodd e wahoddiad. Fe fu'n rhaid i fi esbonio wrtho fe bod y gwahoddiad gyda'r bil mewn amlen ro'n i wedi'i ddanfon ato fe wythnosau'n gynharach. Petai e wedi agor yr amlen i ddarllen y bil, yna fe fydde fe wedi gweld y gwahoddiad.

Arwyddair Ysgol Aberteifi oedd: 'Egni a Lwydd'. Arwyddair Ysgol Crymych oedd, 'Cofiwch Ddysgu Byw'. Ac mae hwnna'n un pwysig. R'yn ni'n byw yng nghyfnod y cardiau credyd. Roedd yna hen ddywediad am fyw cynnil, sef dala llygoden a'i bwyta hi. Heddiw mae yna lawer sydd wedi bwyta'r llygoden cyn ei dala hi.

Mae llawer i'w ddweud am gario arian yn eich poced. Os oes ganddoch chi ugain punt, falle y gwnewch chi wario pum punt, a hynny'n gadael pymtheg punt yn eich poced. Ond gyda charden, talu mis nesa, talu rywbryd eto yw hi bob tro. Mae 'na lawer mwy o demtasiwn i or-wario wedyn. A dyna pam nad ydw i ddim yn gweld unrhyw beth o'i le yn agwedd y Cardi. Byddai Nhad yn arfer dweud, 'Os yw dyn yn fên pan mae e'n ddeugain, yna fe fydd e ddwywaith mwy mên pan fydd e'n bedwar ugain.'

Rwy'n cofio bod wrthi un noson ar ryw ffarm yn tynnu llo, ac wedyn mynd i'r tŷ am baned a'r ffermwr yn dweud, 'Chi'n gwbod, Tomos, rwy wedi bod yn ffermwr nawr ers hanner can mlynedd, ac rwy wedi godro nos a bore bron yn ddyddiol. Fydda i byth yn cael gwyliau, fues i erioed yn Llundain, wnes i erioed hyd yn oed gweld y draffordd.' Finne'n teimlo nad oedd hwn yn gall wrth feddwl amdana i yn drychid ymlaen i sgïo gyda'r plant neu fynd ar wyliau i'r haul yn Portiwgal. Fedrwn i ddim meddwl am beidio â chael llai na dau wyliau bob blwyddyn. Ond falle mai ef oedd yn iawn. Yn ei waith yr oedd ei fwynhad. Roedd hwn yn byw mewn cyfnod pan oedd gwartheg llaeth yn gwneud elw bach teidi, er na chaech chi lawer i gyfaddef hynny. A dyma fi'n gofyn iddo fe, pam na wnâi e wario mwy? Waeth fe fydde'r genhedlaeth nesaf yn siŵr o'u gwario nhw wedi iddo fe fynd. A'i ateb e oedd, 'Gwrando, 'machgen i, os gawn nhw gymaint o bleser yn eu gwario nhw ag y ces i wrth eu hennill nhw, yna pob lwc iddyn nhw.'

Y peth pwysig i'r bobol hyn oedd cadw'r arian yn y teulu. Roedd hynna'n beth mawr. Ac mae agwedd y Cardi yn un iach, sef sicrhau ei fod e'n talu'r ffordd. Talu am bopeth fydd e'n ei gael. Dim dyled i neb. Mae 'na hen ddywediad: 'Tâl dy ffordd wrth fynd. Os na fedri, yna paid â mynd.'

Mae'r banciau'n gorfod rhedeg busnes, ac yn aml iawn yn y gorffennol roedd y ffermwr yn dibynnu'n llwyr ar garedigrwydd y banciau. Ac yn aml fe fydde stori am ffermwr yn mynd ychydig yn rhy bell, yn benthyca ychydig yn ormod, a phan fyddai'r amser yn dod i setlo'r cownt, roedd y cyfan yn mynd yn ormod iddo fe. Y banc yn tynnu'r carped oddi tanyn nhw gan fod gan y banc ei brif swyddfa, a'r rheolwr lleol yn gorfod bod yn atebol i orchmynion rhywun uwch. Ond fe fu'r berthynas rhwng y ffermwr a'r banc yn un bwysig ar hyd y blynyddoedd.

Cydweithio er lles pawb, dyna'r neges erioed ymhob maes mewn bywyd. A dyna ni'n dod 'nôl at y gair pwysicaf yn yr iaith Gymraeg unwaith eto – cymdeithas.

Ysgol a Choleg

Mae'n rhaid bod fy rhieni yn falch o 'ngweld i'n mynd i'r ysgol gan fy mod i, mae'n debyg, yn fachgen bach eitha drygionus. Ac yn aml iawn roedd ceir yn rhan o'r drygioni. Ymhlith y pethe cynta rwy'n cofio yw gweld *Rover 12* yn y garej gyda chwe botwm crôm ar y bonet. Fe wnes i dreulio llawer o amser yn eistedd yn sedd y gyrrwr yn hwnnw.

Fel y dywedais, roedd gyda ni danc petrol mawr canolog ger y tŷ gyda phawb o'r staff yn cael eu cyflenwad oddi yno. Ro'n i wedi sylwi ar rai o'r dynion yn agor y cap ar y tanc petrol ac yn gosod rhywbeth i mewn. Roedd gen i whilber fach, a finne tua phedair neu bump oed, ac fe wnes i lenwi'r whilber â grafel. Yna dyma fi'n agor tanc petrol y car yn y garej a'i lenwi fe â grafel. Fe wnes i hala diwrnod cyfan yn gwneud hynny gan feddwl fy mod i'n gwneud rhyw ddaioni mawr. Roedd yna ryw ffilteri yn y tanc a fuodd y car byth yr un fath. Roedd e'n rhyw duchan a phoeri wrth fynd ac roedd hi'n amhosib cael tanc newydd bryd hynny. Felly fe fu'n rhaid gwerthu'r car.

Bryd arall fe ddaeth rhyw ddyn i'r drws, dyn â rhyw lais main fel menyw yn gofyn a oedd Nhad adre. 'Mae llo gen i,' medde fe, 'ac mae rhywbeth yn bod ar ei wddwg e.' A finne'n ateb, 'Mae rhywbeth yn bod ar dy wddwg dithe hefyd, gwd boi.' Fe ges i glipsen am hynny.

Dro arall fe wnaeth Mam fy mygwth i, os na wnawn i fynd i gysgu, y byddai Nhad, ar ôl cyrraedd adre, yn dod lan i roi clatsien i fi. Ond dal i wrthod cysgu ro'n i gan weiddi o hyd ac o hyd, 'Mam. Dwi ishe pop!' A dyma hi'n dweud unwaith eto, 'Pan ddaw dy dad adre, fe ddaw e lan a rhoi clatsien i ti.' Mae'n debyg fy mod i wedi ateb, 'Pan ddaw e lan i roi clatsien i fi, a ddaw e lan â pop gydag e?'

O ran dyddiau ysgol, mae pethe wedi dod yn haws i blant heddiw. Maen nhw'n cael mynd i'r ysgol feithrin neu ryw grŵp chwarae yn gynta yn dair oed fel bod y fam yn medru mynd 'nôl i weithio. Mae yna duedd nawr i Dad-cu a Mam-gu gymryd gofal o'r plant. Pan ddechreues i yn yr ysgol roedd hi'n ganol yr Ail Ryfel Byd. I'r *Board School* ro'n i'n mynd at Mr Morgan. A'r hyn sy'n aros fwyaf yn y cof yw'r cinio ysgol. Roedd e'n uffernol. Wna i byth anghofio'r pwdin sago a'r semolina. A'r pwdin reis wedyn yn stiff fel past papuro. Ond cyn y pwdin bydden ni'n cael rhyw fath o gawl, darn o gaws a thafell o fara. Ac fe fydden ni'n defnyddio'r un llwy i fwyta'r cawl a'r pwdin. Mae gwynt y cawl yn fy ffroenau i o hyd, hen wynt bwyd ysgol sy'n wahanol i bob gwynt arall.

Os nad oedd gennych chi ffrind i fynd i'r ysgol gyda chi ar y diwrnod cynta – a'r wythnosau cynta, o ran hynny – roedd e'n brofiad ofnadwy, mae'n rhaid. Roedd un plentyn bach yn ei chael hi'n anodd iawn yng nghanol plant dieithr, a'r athrawes hefyd, wrth gwrs, yn ddieithr iddo fe. Gallai'r plentyn weld ei gartre drwy'r ffenest ar draws y cwm. Ac roedd hynny'n codi mwy o hiraeth arno fe. A dyma fe'n codi ei law ac yn dweud wrth yr athrawes, 'Miss, draw fanco ydw i'n byw. Leiciech chi ddod draw gyda fi nawr at Mam i gael paned o de?'

Roedd damweiniau bach yn medru digwydd, plentyn yn ofni gofyn am fynd i'r tŷ bach, er enghraifft. Rwy'n cofio Nhad yn dweud wrtha i am un plentyn bach yn codi ei law a dweud ei fod e am fynd, a'r athrawes yn mynd gydag e i'w helpu. A'r crwt bach, wrth iddi ymbalfalu, yn dweud wrthi, 'Chwiliwch chi amdani, Miss. Mae hi yna yn rhywle.'

Yn y pumed dosbarth yn yr ysgol fach, a finne'n rhyw wyth neu naw oed, fe ddaeth T Llew Jones i'n dysgu ni fel athro cyflenwi am tua chwe mis, neu flwyddyn, hwyrach. Fe geisiodd e'n cael ni i farddoni. A dyna'r unig ddarn o farddoniaeth a gyfansoddais i erioed:

> Richard yw fy enw,
> Rwy'n byw ym Mhenrallt-ddu,
> A pheidiwch chi â meddwl
> Mai twpsyn ydw i.

Doedd e ddim yn rhyw lawer o farddoniaeth ond fe wnaeth T Llew Jones chwerthin a darllen y gerdd gan wneud i fi deimlo'n eitha embaras am i fi gyfansoddi'r fath beth.

Yn ddiweddarach, dyma fynd i'r Ysgol Ramadeg yn Aberteifi. Roedd e'n gam mawr o'r ysgol fach i'r ysgol fawr. Yn gynta roedd yr *11 Plus* i'w sefyll. Os nad oeddech chi'n pasio'r arholiad hwnnw, yna fe fyddech chi'n mynd i'r *National School*. Ond roedd modd i'r plant hynny, o wneud yn dda yn eu blwyddyn gynta, gael mynediad i'r Ysgol Ramadeg.

*   *   *

Y peth mawr o gael mynd i'r ysgol fawr oedd cael blêsyr, tei, sgarff a chap. A *hymnal*, neu lyfr emynau, wedyn ar gyfer yr asembli foreol. Mae'n rhyfedd gweld disgyblion ysgol heddiw yn crwydro'r strydoedd â'u crysau'n hongian mas a chwlwm eu teis nhw lawr hyd at hanner eu boliau. Yn fy adeg i, petaech chi'n mynd i'r ysgol heb gap a heb fod â'r *hymnal* yn eich llaw, fe fydde'r prifathro yn eich galw chi i gyfrif. Roedd disgyblaeth yn hollbwysig.

Bryd hynny doedd gen i ddim bwriad o gwbwl i fod yn filfeddyg. Ceir oedd fy niddordeb i o hyd ac fe fu bron iawn i fi fynd i'r byd hwnnw gan fod ffrind i Nhad yn gweithio i gwmni *Rolls Royce* yn Derby. Yn wir, fe ges i gynnig mynd yno gan ddechre yn y gwaelod drwy wneud te, glanhau a sgrwbio a gweithio fy ffordd lan fel prentis yn y ffatri. Ond ro'n i braidd yn ifanc ac roedd yna ryw deimlad y tu ôl i'r meddwl y dylwn i ddilyn fy Nhad. Roedd ef ei hunan yn awyddus iawn i fi wneud hynny. Roedd e'n amheus, falle, a oedd gen i'r gallu i wneud y gwaith gan fod y cwrs bryd hynny – ac yn dal i fod – yn galed.

Y prifathro yn yr Ysgol Ramadeg oedd Thomas Evans, a elwid wrth y llysenw Tom Pop. Roedd cwmni pop Thomas and Evans Corona yn bodoli bryd hynny a, gan ei fod ef yn Thomas ac yn Evans fe ddaeth i gael ei adnabod fel Tom Pop! Ei ddirprwy oedd W R Jones, ffrind mawr i Nhad a'r ddau yn gyd-arweinyddion Gŵyl Fawr Aberteifi. Yn wir, roedd y ddau deulu'n ffrindiau mawr. Roedd WR yn gwybod hanes pob plentyn ac fe aeth yn ei flaen i fod yn brifathro ar ysgol newydd Crymych. Roedd ganddo radd MA, ac yn Aberteifi ef oedd yn dysgu Daearyddiaeth a Chymraeg.

Yn ystod fy mlwyddyn gyntaf yn yr ysgol fe roddid pwyslais mawr ar ddiwydrwydd ac ar weithio'n galed. Roedd Tom Evans newydd fod allan yn America ac yno fe gafodd e sawl syniad. Un oedd y *Non Satis Cards*, cardiau o wahanol liwiau. Fe fyddech chi'n cael arholiadau bob mis, hwyrach, ac os nad oeddech chi'n tynnu'ch pwysau fe fyddech chi'n cael un o'r cardiau yma mewn lliw arbennig. Ac os oeddech chi'n cael un o'r cardiau, roedd gofyn i chi weithio'n galetach. Fe fydde Tom Evans yn sôn am y rhain yn aml.

Roedd Tom Pop yn ceisio gwireddu arwyddair yr ysgol, 'Egni a Lwydd', ac rwy'n cofio pan o'n i yn y trydydd dosbarth iddo fe ysgrifennu ar fy adroddiad blynyddol i, yn Saesneg, wrth gwrs, 'Work, work, work is the only way to succeed. Richard has got so much time for the thousand-and-one pleasureable pursuits in his life. Unfortunately, at the bottom of his list is hard work.'

Byddai'r prifathro yn cadw golwg fanwl ar y disgyblion bob amser. Roedd ganddo fe gar *Hillman Minx* lliw coch tywyll, a'i rif e oedd DEJ 244. Ac roedd e'n gwneud ei batrôls gyda'r nos. Roedd yn rhaid i ni fod i mewn yn gwneud ein gwaith cartre rhwng pump a saith. Yn yr haf y byddai hyn waethaf. Fe fydde fe wedyn yn mynd yn ei gar o gwmpas y lle: Cilgerran, Llandudoch, Abercych ac yn y blaen. A phan fydde'r disgyblion yn gweld y car coch tywyll DEJ 244 yn nesáu, fe fydden nhw'n sgathru fel cwningod. Ac os gwelai e rywun allan, fe fydde hwnnw neu honno yn colli cwsg rhag ofn y canlyniadau yn yr asembli y bore wedyn. Cael ein galw i'r tu blaen fydde'r arferiad, a'r rheiny oedd yn sefyll o'r canol 'nôl i'r cefn yn gorfod cerdded o flaen yr ysgol i gyd i dderbyn cerydd. O wneud rhywbeth o'i le, y dewis oedd, 'Cosh or the garden'. Cosh oedd cansen. Plygu lawr a'r gansen ar draws y pen-ôl. Y dewis arall oedd gweithio yn yr ardd gydag Ifan y garddwr dros yr awr ginio.

Roedd ffrydiau yn yr ysgol. Yn y flwyddyn gynta roeddech chi'n 1A, 1B neu 1M. Yna 2A, 2B a 2M ac yn y blaen. Yn y ffrwd 'B' y treuliais i'r rhan fwyaf o'r amser. Yn achos arholiadau, os fyddech chi'n disgyn chwe safle fe fydde angen gair â'r prifathro neu dderbyn y cerdyn *Non Satis* yr oedd e mor hoff ohono.

Un peth rwy'n cofio am fywyd yn y flwyddyn gynta yw Tom Lewis yn y dosbarth Cerddoriaeth. Y dasg oedd gwneud lluniau o offerynnau cerdd y gerddorfa. Rwy'n cofio defnyddio cwmpawd i wneud llun o'r tympana a Tom Thomas ac Alun Bloom wrth fy ymyl i. A Tom yn dweud, 'Diawl, roedd Mam-gu yn arfer berwi cawl mewn rhywbeth fel'na.' Hiwmor bois y wlad.

Roedd gan Alun Bloom declyn yn ei glust i'w helpu i glywed. Roedd e'n drwm iawn ei glyw. A dyma Tom Lewis yn gofyn cwestiwn i Bloom a Tom Thomas yn rhoi pwt iddo fe a dweud, 'Alun, mae e'n gofyn cwestiwn i ti.' A dyma Alun yn troi'r teclyn lan gan greu rhyw whisl uchel. A Tom Lewis yn gofyn, 'What's the matter, Bloom, can't you hear me?' 'Sori, syr,' medde Bloom, 'rown i'n safio'r batri ar gyfer gwers hanes Mr Tregonyn.' Roedd gan Bloom fwy o ddiddordeb mewn hanes na cherddoriaeth.

Fe gwrddais i â Bloom flynyddoedd wedyn. Roedd gen i gar *Saab*, car yr o'n i'n falch iawn ohono fe, a hynny wedi i mi fod yn y practis am ryw ddeng mlynedd. A dyma Bloom yn dod lan, yn gyrru tancer llaeth, yn stopio ac yn edrych lawr arna i o uchder y caban. 'Diawl,' medde fe, 'leiciwn i gael car fel'na. Dyma ti yn fet a fi'n dreifio lorri laeth. A diawl, meddylia, we ti'n arfer copïo wrtha i mewn syms yn yr ysgol.'

Ymhellach ymlaen yn yr ysgol dyma fi'n sylweddoli bod cwrs milfeddygaeth yn mynd i fod yn galed. Mae e'n dal yn galed. Heddiw mae gofyn i bobl ifanc gael tair gradd A yn Lefel A cyn ymgymryd â'r cwrs. A merched sy'n gwneud orau nawr, tua 60 y cant o'r rhai sy'n mynd i'r colegau yn ferched. Hwyrach mai'r hyn sydd ei angen yw cael pobl fel fi, a oedd yn rhyw gymedrol yn yr ysgol i fod mewn practis a'r merched i wneud rhywbeth ysgafnach. Ond mae ffarmwriaeth wedi edwino gymaint, fel bod llawer o'r galw ar y practis nawr yn golygu trin cŵn a chathod.

Ond beth yw'r pwynt cael rhes o raddau A os nad oes ganddoch chi synnwyr cyffredin? Rwy'n cofio mynd â chrwt oedd â phum pwnc Lefel A mas gyda fi unwaith ar brofiad gwaith. Lawr â ni i fferm ym Mynachlog-ddu. Roedd tair iet a phedwar grid gwartheg rhwng y ffordd fawr a'r fferm. Fe ddaethon ni i'r iet gynta, a dyma fe'n edrych arna i a fi'n edrych arno fe. A'r injan yn rhedeg. A wedes i, 'John, sawl Lefel A sydd gen ti, bachan?'

'Pump', medde fe.

'Beth 'yn nhw?'

'Cemeg, Ffiseg, Mathemateg, Saesneg a Hanes.'

'Bachgen, rwyt ti'n athrylith,' medde fi. 'Nawr, agor yr iet, wnei di?'

Ydyn, mae'r safonau wedi codi, sy'n beth da ac yn beth drwg. Peth da am ei bod hi'n bwysig cynnal safon. Ond mae'n rhaid cofio nad y rhai sydd â'r safonau academaidd uchaf yw'r rhai gorau bob amser i fod allan yn y wlad yn gwneud y gwaith, a hwnnw'n waith beunyddiol, gwaith caled o ddydd i ddydd. Rwy'n gyfarwydd â bod allan gyda myfyrwyr ar brofiad gwaith, rhai ohonyn nhw'n wych yn academaidd. Ond gosodwch nhw mewn bwlch i atal dafad rhag mynd heibio a does ganddyn nhw ddim clem. George Bernard Shaw ddywedodd mai'r synnwyr mwyaf anghyffredin yw synnwyr cyffredin, ac roedd e'n iawn. Mae bois cefn gwlad, bois y ffermydd yn gweld hyn bob dydd o'u bywyd – clywais rywun yn dweud rhywdro nad oes dim pwynt cael injan chwe silindr a'r clytsh yn slipo!

Erbyn y Pumed Dosbarth, y peth gwaetha wnes i oedd peidio â gweithio'n ddigon caled, peidio gosod sail ar gyfer Lefel A. Cemeg, Ffiseg a Mathemateg, dyna oedd y pynciau pwysig i fi. Doeddwn i ddim yn fathemategwr ac oherwydd hynny ro'n i'n cael trafferth gyda Ffiseg. Rwy'n siŵr y cewch chi'r un stori gan y rhan fwyaf o filfeddygon a meddygon. Dw i ddim yn beio'r ysgol na'r athrawon. Arna i roedd y bai. Yn y pynciau hynny roeddwn i y tu ôl i bawb, yng nghanol y twps. Rwy'n cael hunllefau hyd heddiw wrth feddwl am astudio Ffiseg. Rwy'n gweld fy hun yn mynd i mewn i arholiad ar y pwnc a finne heb wybod dim, teimlad yn union fel camu ar lwyfan i ganu ac yn methu â chofio'r geiriau – profiad annifyr a gefais lawer gwaith gydag Opera Teifi. Yn wir, fe ddilynodd y gwendid hwn fi gydol fy amser yn y coleg hefyd. Y gwir amdani yw bod yn rhaid i chi gael sail Mathemateg a Ffiseg os ydych am ddilyn cwrs milfeddygol. Mae pobol yn gofyn i fi'n aml beth yw'r pethau mwyaf anodd i fi eu gwneud yn ystod fy mywyd. Fe alla i feddwl am ddau beth. Yn gynta, pasio prawf motor-beic. Ac yn ail, pasio Ffiseg yn Lefel A.

Yn y Chweched Dosbarth fe es i i wneud Cemeg, Botaneg a Sŵoleg gan wybod, os own i am fod yn filfeddyg, y byddai'n rhaid i fi wneud Ffiseg hefyd ac y byddai'r flwyddyn gynta yn y coleg yn ailadrodd Lefel A. A dweud y gwir, dim ond crafu drwy Ffiseg yn Lefel O wnes i. Dim ymroi digon i'r gwaith, dyna'r gwendid mawr. Bod yn rhy ddiog, i fod yn onest. Rwy'n gwybod y byddwn i wedi cael gwell canlyniadau petawn i wedi gweithio ychydig bach yn galetach.

Beth bynnag, i mewn â fi i'r Chweched Dosbarth – a methu. Wedyn gorfod mynd 'nôl yn y drydedd flwyddyn. Rwy'n cofio Tom Evans yn dweud wrtha i pan fethais i Lefel A ac yn gobeithio dod 'nôl i ailadrodd y drydedd flwyddyn am i fi ystyried yn ddwys. Fe awgrymodd y dylwn i fenthyca beic WR Jones a mynd lawr i Ynys Aberteifi. Roedd WR yn dod i'r ysgol ar feic ei wraig bob dydd ac yn ei reidio gan wisgo'i fantell academaidd, a honno'n cyhwfan y tu ôl iddo. Fe ddywedodd y prifathro wrtha i am fynd i lawr yno a phenderfynu a oeddwn i'n mynd i fod yn oferwr am weddill fy mywyd neu a o'n i'n bwriadu parchu ffydd fy Nhad ynof fi drwy fynd ati i weithio'n galed. Fe addawodd fy helpu ym mhob ffordd y medrai ond i fi ystyried fy sefyllfa yn ddifrifol.

Roeddwn i fod i ddod yn fy ôl erbyn pedwar i gael paned gydag e a'i ysgrifenyddes, Julie James – a ddaeth wedyn yn wraig i Aneurin Jones – ac yna trafod fy mhenderfyniad gydag e. Yn Saesneg roedd e'n dweud hyn i gyd. A dyna i chi seicolegwr oedd e. Pan gyrhaeddais i 'nôl dyma fe'n gofyn a oeddwn i wedi penderfynu beth o'n i am wneud. 'Wel, Mr Evans,' medde fi, 'gan fy mod i 'nôl yn yr ysgol, rwy'n meddwl y bydd yn rhaid i fi weithio.' A dyma fe'n dweud y frawddeg ddamniol. 'I'll tell you what, boy, I don't think you've got it in you. You haven't got the necessary intelligence to do it. You're not very bright. It will take a big effort, and I don't think you can make it. You're facing incredible odds. In fact, you're a bit "twp".'

Y gair 'twp' wnaeth fy nghynhyrfu. Fe gododd fy natur i nawr. Hwyrach i'r pennill bach hwnnw wnes i ei gyfansoddi i T. Llew Jones ddod yn ôl i'r cof. Fe ddwedes, 'Falle nad ydw i'n rhyw ddisglair iawn, ond sai'n dwp.' Ond fe wnaeth hyn fy sbarduno i. Roeddwn bron yn ddeunaw oed ac roedd hi'n bryd bod yn fwy cyfrifol. Fe wnes i weithio'n galed. Fe wnes i chwarae llai o rygbi a galw'n anamlach yn yr Angel ac yn y *Three Horseshoes* yng Nghenarth. Ac fe wnes i basio. Ond roedd e'n galed dros ben. Ac rwy'n dal yn sicr mai'r ffaith fod Nhad wedi bod yn filfeddyg o mlaen i wnaeth y gwahaniaeth.

Fe wnes i etifeddu llawer o'i arferion da. Pan es i i'r coleg, er enghraifft, rwy'n credu mai'r cyfweliad wnaeth droi'r fantol ar gyfer cael fy nerbyn. Ro'n i hefyd yn cofio'r cyngor roddodd Gwynfor Edwards i'w fab am y tair elfen bwysig wrth baratoi ar gyfer cyfweliad. 'Yn gyntaf,' medde fe, 'watsha bod dy sgidie di'n lân. Yn ail, edrycha ar y bachan yn syth yn ei lygaid. Ac yn drydydd, paid â dweud gormod.' Mae llawer yn hynna, ac fe fyddwn i'n cynghori unrhyw un sy'n cael ei holi i lynu at yr hyn y mae e'n wybod heb geisio dangos eich bod chi'n gwybod llawer am nifer o bynciau. Sticiwch at yr hyn 'ych chi'n ei wybod orau.

Mae'n bwysig cofio hefyd, pan fod yr holwr yn troi at bwnc 'ych chi'n gwybod rhywbeth amdano, y dylid ceisio cadw'r holwr ar y pwnc am gyhyd ag y gallwch chi. Atebwch gan bwyll bach. Peidiwch â dweud y cyfan ar unwaith. Mae hon yn ffordd dda o wastraffu amser yr holwr. Os atebwch chi'r cyfan ar unwaith ac yn rhy gryno, tueth yr holwr yw troi at bwnc arall. Ac efallai na fyddwch chi'n gwybod cymaint am hwnnw. Mae e fel chwarae pysgodyn. Tynnwch e mewn i'r lan yn araf.

Ond roedd pethe'n dal yn anodd. Yn y coleg roedd gofyn i fi nawr wneud pynciau eraill Lefel A mewn blwyddyn. Roedd hi'n ymddangos yn dasg amhosib. Fe wnes i fethu Ffiseg y tro cynta a gorfod ei ailsefyll. Ac oherwydd fy anwybodaeth o Fathemateg, yr unig ffordd fedrwn i ddysgu Ffiseg oedd fel parot. Ar ben hynny fe wnes i dalu deg swllt yr wythnos am ddwy wers ychwanegol bob wythnos gan ddarlithydd yn y labordai yn Llundain. Fe wnaeth hwnnw fy nysgu mewn elfennau Ffiseg yn ogystal â dysgu i fi'r ffordd orau o wynebu arholiadau. Hyd yn oed wedyn roedd yn rhaid i mi weithio hyd oriau mân y bore, ac mae'r pwnc yn dal i roi haint i mi heddiw!

Dim ond dau neu dri aeth o Ysgol Ramadeg Aberteifi i fod yn fet yn ystod hanner can mlynedd, felly roedd hynny hefyd yn rhoi rhyw deimlad o fraint i fachgen ifanc. Ro'n i'n cael rhyw deimlad, rhyw falchder 'mod i'n cario'r faner.

*   *   *

Roedd mynd i'r Coleg Milfeddygol yn y lle cynta yn brofiad anodd. Gadael Aberteifi am Lundain, a finne ddim yn gwybod beth i'w ddisgwyl. Yn gynnar yn ystod y misoedd cynta fe ges i fy ngwahodd i barti *Halloween*. Wyddwn i ddim beth oedd *Halloween*. Ro'n i'n gwybod mai rhywbeth i'w wneud â gwrachod oedd e ond doeddwn i ddim yn gwybod ei fod e'n golygu gwisgo lan a chael parti. Yn wir, wnes i ddim sylweddoli mai'r gair Saesneg am Calan Gaeaf oedd *Halloween*.

Dyna ble ro'n i yn y coleg, ynghanol cannoedd a miloedd o fyfyrwyr yng ngogledd Llundain, rheiny'n byw mewn fflatiau neu *bed-sits* a finne'n teimlo fel pysgodyn bach mewn môr anferth. Rown i'n rhannu fflat â bachan oedd wedi gweld y byd. Roedd e newydd ddod 'nôl o Ryfel Korea. A dyma fi'n meddwl, petawn i wedi ffaelu Lefel A eto, mai yno y byddwn innau. Fydde dim modd osgoi Gwasanaeth Cenedlaethol.

Rwy'n cofio mynd i'r coleg y diwrnod cynta, a'r lle yn edrych yn anferth. A mynd i mewn i'r Stafell Esgyrn. Roedd yno sgerbydau o bob math yn cynnwys un *Foxhunter,* y ceffyl rasio enwog. A dyma'r Athro Anatomi yn dweud wrthon ni, 'Foneddigion, ewch i mewn i'r Stafell Esgyrn i ddysgu rhywbeth am Anatomi. Anatomi yw sail meddygaeth ac mae'n bwysig i chi fynd i mewn fan'na i ddysgu am strwythur yr esgyrn, am y cyhyrau ac am y gewynnau.'

Dyma'r arholiad tymor cynta'n dod, a'r cwestiwn agoriadol ar y papur oedd, 'Disgrifiwch y Stafell Esgyrn.' Dyna'i ffordd e o ddarganfod pwy oedd wedi bod i mewn yno.

Y myfyriwr cynta wnes i gyfarfod yno oedd bachan o'r enw Dudley Lucas. Roedd e'n ddisgynnydd i'r enwog Joseph Lucas, y boi ddechreuodd y busnes batris ac offer trydan ar gyfer cerbydau. Roedd Dudley wedi dod i'r coleg jyst i fedru dweud ei fod e'n gwneud rhywbeth. Roedd digon o arian gyda'r teulu a'r cyfan roedden nhw'i eisiau oedd i Dudley fod yn rhywun proffesiynol, yn feddyg, yn dwrne neu'n fet. Fe ddewisodd fod yn fet. Doedd dim llawer o siâp fet arno fe. Fe ddaeth i'r coleg mewn car mawr a gwedd digon o arian gydag e. Ceir bach oedd gan bawb arall, rhyw *Austin 7,* falle. Ond roedd gan hwn ryw *sports car* mawr. Ddiwedd y tymor cynta fe gafodd Dudley ei gicio mas. Fe aeth i mewn i ryw arholiad, a phwrpas y cwestiwn cynta y gofynnodd yr arholwr iddo oedd canfod beth wyddai Dudley am laeth, hynny yw, llaeth wedi'i brofi ar gyfer *Brucellosis,* a *Tuberculine,* a llaeth Pasteureiddiedig a llaeth wedi ei sterileiddio ac yn y blaen. A'r cwestiwn oedd, 'Dwedwch, Mr Lucas, sawl math gwahanol o laeth sy'n bod?' A dyma Dudley'n ateb: 'O'm profiad i,' medde Dudley, '*Gold Top, Red Top* a *Silver Top.*' A dyna ddiwedd ar yrfa Mr Lucas fel fet.

Y cerbyd cynta ges i, a'r cerbyd aeth â fi i Lundain oedd *Morris 8 Series E,* hen fan *GPO.* Roedd modd rhoi cynnig bryd hynny am faniau *GPO* ail-law. Roedd angen fan arna i achos roedd angen trync, neu gist fawr, bryd hynny ar bob myfyriwr

53

er mwyn cario a storio'i eiddo. Ro'n i, ar y ffordd, yn codi dau ffrind, Robert Morgan yng Nghaerfyrddin, oedd wedi dod i'r coleg yn yr ail flwyddyn, a Huw Davies, ffrind arall, o Lanymddyfri. Ac roedd angen lle i gario tryncs y rheiny hefyd. Roedd yr hen fan, gyda'r holl bwysau yn y cefn, â'i phen blaen hi lan yn yr aer. Ac roedd hi'n gollwng oel o'r bocs llywio. Ro'n i'n gorfod mynd â thun galwyn o oel gyda fi ar bob siwrne.

Roedd hi'n cymryd naw awr i ni fynd i Lundain. Byddai aros am ginio a chwpwl o beints yng Nghaerloyw yn golygu dwy awr o stop. Cyrraedd Llundain wedyn tua chwech neu saith y nos. Cyflymdra ucha'r hen fan oedd tua 65 milltir yr awr. A phan brynais i hi, fe beinties hi'n wyrdd – *British Racing Green* – a'r whîls yn felyn. Ac ar ochor y fan fe wnes i beintio llun ceffyl, arwydd ein tîm rygbi ni'r Fets yn Llundain. Ond caseg, mewn gwirionedd, oedd y llun ac fe wnes i fedyddio'r gaseg yn Magi. Ac wrth gwrs, Magi oedd enw'r fan wedyn, a phawb yn y coleg yn ei nabod hi. Fe gariodd hi lwythi o fois drwy ganol Llundain i chwarae rygbi am flynyddoedd.

Roedd llawer o fois gwledig yn dod i'r coleg, llawer yn feibion ffermwyr. Fe ddechreuodd 110 ohonon ni gyda'n gilydd ond dim ond tua 40 ddaeth drwyddi. Fe syrthiodd llawer ar fin y ffordd. Roedd pob un o'r rhai fethodd yn fwy galluog na fi. Mae'n rhaid bod llawer ohonyn nhw, yn hytrach na bod wedi methu, wedi sylweddoli nad hon oedd eu galwedigaeth nhw a rhoi'r ffidil yn y to. Ond mae'r cyn-fyfyrwyr yn cadw cysylltiad ac fe fyddwn ni'n cael aduniad bob blwyddyn.

Roedd y flwyddyn gynta yn y coleg yn anodd iawn. Cadw 'mhen lawr a cheisio dala lan â'r hyn ro'n i wedi'i golli yn yr ysgol oedd yn bwysig. Roedd hi'n flwyddyn ddiflas o ran amser hamdden. Fe welais i'r cwrs milfeddygaeth yn y coleg yn un anodd dros ben. Yr unig hamddena gawn i oedd drwy chwarae rygbi i'r coleg ar ddydd Mercher ac ar ddydd Sadwrn ac ambell noson allan yng Nghlwb y Cymry yn Grays Inn Road yn canu emynau a chodi â phen tost ar fore dydd Sul cyn mynd i Gapel King's Cross neu Charing Cross pan oedd Richard Jones yno.

Pryd bynnag y byddai hiraeth am Aberteifi'n codi, ac roedd hynny'n digwydd yn aml, roedd y capel yn lloches bob amser.

Ond y rygbi oedd yn achub rhywun rhag diflasu'n llwyr. Byddai cystadleuaeth Cwpan Colegau Llundain yn rhywbeth pwysig. Fe fydden ni'n chwarae yn erbyn Imperial College, Kings College, Wye College a Cirencester. Roedden nhw i gyd yn rhan o'r bencampwriaeth. Ac roedd honno'n rhywbeth i edrych ymlaen ati. Roedden ni'n bedwar o Gymry yn y tîm. Roedd y Fets yn cael eu hystyried yn dipyn o hwliganiaid ond bydden ni'n ennill yn weddol gyson.

Fe fuodd rygbi yn rhan bwysig o 'mywyd i yn y coleg – a chyn mynd yno, hyd yn oed. Rwy'n cymharu'r gêm â sgwash neu golff gan ei bod hi'n gamp sy'n datblygu eich personoliaeth chi a'ch cydweithrediad chi gyda phobol eraill. Yn aml yn yr ysgol fe fyddwn i'n chwarae i'r ysgol yn y bore yn erbyn Llambed, Aberaeron neu Hwlffordd, falle. Yna, galwad ffôn amser cinio a throi mas dros dre Aberteifi yn y pnawn. Roedd hyn yn arbennig o wir pan fydden ni fel myfyriwr yn dod adre dros wyliau'r Pasg neu'r Nadolig. Fe fydde'r tîm dros y Nadolig yn aml yn hollol wahanol i'r un fydde'n chwarae bob dydd Sadwrn drwy'r tymor. Doedd hynny ddim yn plesio'r bois lleol bob amser.

Yr un math o gymeriadau oedd yn chwarae gyda fi – ac yn fy erbyn i – yn y ddau le, dim ond eu bod nhw'n dod o gefndir gwahanol. Roedd y safon yn wahanol, a rygbi'r coleg, hwyrach, yn galetach. Ond ddim mor frwnt â rhai o'r timau lleol yn ardal Aberteifi. Ar y dydd Sadwrn cyn i fi adael am fy mlwyddyn gynta yn y coleg ro'n i'n chwarae yn erbyn Hendy-gwyn ar Daf. Bachwr o'n i, a dyma fynd i lawr yn y sgrym. Roedd gen i ddau brop allai fy nghodi i bant o'r llawr gan mai un bach o'n i. A dyma fachan yn dod o ail reng y tîm arall gan fy mwrw i ar fy nhrwyn a'i dorri fe. Y dydd Sadwrn canlynol ro'n i'n chwarae gêm brawf ar gyfer cael lle yn nhîm Coleg Prifysgol Llundain. Fe wnes i fynd i lawr ar gyfer y sgrym gynta a dyma un o'r chwaraewyr yn gofyn i fi, 'Are you comfy?' Dyna i chi wahanol agwedd. Roedd hyn mewn cyfnod pan oedd Cymru'n curo pawb, felly pan fyddai Cymro yn mynd i goleg yn Lloegr fe fydde fe'n cael ei ystyried fel arbenigwr ac yn cael parch mawr.

Roedd chwarae i dîm coleg yn dipyn o bluen yng nghap rhywun. Byddai myfyrwyr fel fi wrth ddod adre yn dod â'u sgarff arbennig gyda nhw. Un werdd a gwyn oedd sgarff ein coleg ni. A'r crys rygbi wedyn. Pan fyddech chi'n chwarae dros y tîm lleol fe fydde cyfle i chi wisgo crys y coleg. Ac roedd hynny'n gyfle i ddangos eich lliwiau yn llythrennol.

Yn ystod y drydedd flwyddyn fe fues i'n gapten ar dîm y Fets, ac ro'n ni'n cael treialon ar ddydd Mercher cynta'r tymor. Roedd hynny'n gyfle i ni dynnu llinyn mesur dros y rhai a allai fod yn y tîm cynta yn ystod y flwyddyn oedd i ddod. Un diwrnod roedd Huw Davies o Lanymddyfri yn chwarae – ef oedd y cefnwr – a finne'n gwylio. Ac fe ddaeth y chwaraewr yma ymlaen. Mike Alder oedd ei enw fe. Ar ôl graddio fe aeth hwn allan i Ganada ac fe chwaraeodd e dros dîm A Canada. Roedd e hefyd wedi chwarae hoci dros ysgolion Lloegr. Yn ei ffordd, roedd e'n debyg iawn i Richard Sharpe, hwnnw oedd yn chwarae fel maswr i Loegr ar y pryd, bachgen tal â gwallt golau. Ro'n i'n gwybod ar unwaith fod hwn yn mynd i fod yn fachan da ac fe lwyddon ni i'w berswadio fe i droi at rygbi oddi wrth yr hoci. Felly, fe wnaeth e ymuno â ni ac fe gawson ni dymor da gan ennill yn erbyn colegau fel Kings ac Imperial. Dim ond 500 oedden ni yn y Fets ond roedd miloedd yn y colegau eraill.

Roedd pedwar ohonon ni'n Gymry yn y tîm, ac wrth siarad Cymraeg â'n gilydd ar y cae roedd ganddon ni fantais dros y lleill. Ond ro'n i'n edrych ymlaen at ddydd Mercher a dydd Sadwrn pan ddôi cyfle i anghofio am y pwysau gwaith. Roedd rygbi yn gyfle i ollwng stêm. Cofiwch, byddai pen tost ambell i fore dydd Iau ac yn arbennig ar fore dydd Sul. Byw mewn fflatiau oedden ni ac roedd mwy o gwrw nag o fwyd yno. Ond doedd dim cyffuriau yn y cyfnod hwnnw. Mae'r byd wedi gwaethygu llawer yn y cyfamser.

Roedd hi'n amser cyffrous i rygbi, beth bynnag, cyfnod Gerald Davies a Gareth Edwards. Cymru'n ennill popeth, a thîm Cymry Llundain ar y brig gyda Mervyn Davies a Gerald yn chwarae iddyn nhw. Yn ystod y cyfnod yna roedd ganddon ni'r Cymry yn Llundain jôc am y trên yn cyrraedd gorsaf Caerdydd pan oedd Cymru'n chwarae Lloegr ar Barc yr Arfau. Wrth i'r gêm agosáu at y terfyn, a dim ond deng munud i fynd, dyma'r trên yn dod i mewn a thîm Cymru, o glywed y chwiban, yn meddwl fod y gêm ar ben. Chwiban y trên oedd e, ond fe gerddodd tîm Cymru bant o'r cae. Ddeng munud yn ddiweddarach fe sgoriodd Lloegr.

Ond fe newidiodd pethe. Fe aeth hi'n 'Swing Low' a'r olwyn yn troi. Diolch byth, mae hi wedi troi unwaith eto a Chymru ar i fyny erbyn hyn.

*   *   *

Yn y coleg wedyn yn y bedwaredd flwyddyn, rwy'n cofio methu mewn un pwnc, sef Patholeg. Fe fethod wyth ohonon ni ond fe gawson ni'r cyfle i fynd 'nôl i ailsefyll yr arholiad heb golli amser. Fe wnes i ddychwelyd i'r coleg tua wythnos cyn i'r tymor gychwyn. Roedd hwn yn arholiad mawr ymhob ystyr, gwaith ymarferol am deirawr ac yna dau bapur. Cyn yr arholiad fe ges i wahoddiad gan fy nhiwtor i gael sgwrs ag ef yn ei stafell. Am awr gyfan fe aeth â fi drwy'r cyfan gan fy nghynghori i fynd 'nôl i'r llety lle ro'n i'n aros ac anghofio am fynd allan gyda'm ffrindiau ond yn hytrach i ganolbwyntio'n llwyr ar yr hyn oedd i ddod yn yr arholiad.

Pan ddaeth amser yr arholiad, i mewn â fi. Yno roedd un o'r darlithwyr, Dr Stamp, a oedd yn arbenigwr ar *Scrapie*, neu Glefyd y Crafu, a gysylltwyd wedyn, wrth gwrs â *CJD*. Fe ges i amser caled wrth gael fy holi gan hwnnw a wyddwn i ddim ble ro'n i'n sefyll. Fe deimlais i fy mod i eisoes wedi methu, ac fe glywais i Stamp yn awgrymu wrth yr Athro, sef fy nhiwtor, na ddylwn i gael pasio. Patholeg oedd holl sail meddygaeth, medde fe, a doeddwn i ddim yn gwybod digon. Ond fe gododd fy nghalon wrth i fi glywed y Proff yn anghytuno gan ddweud fy mod i'n gwybod llawer mwy nag oeddwn i'n ei ddangos ac y

57

dylwn i gael pasio. Ac mae llawer i'w ddweud am ffawd. Oni bai i fi fynd yn ôl i'r coleg yn gynnar a digwydd cyfarfod â 'nhiwtor a chael gair ag ef, hwyrach na fyddwn i wedi mynd ymlaen i fod yn fet. Mae pethe fel hyn yn medru digwydd. Dyna beth yw bywyd.

Wrth edrych yn ôl ar y cwrs milfeddygaeth, yr hyn fydda i'n cofio yw mynd i mewn i'r coleg a theimlo'n ofnus o'r hyn oedd yn fy wynebu. Ofnus hefyd o wybod maint y gwaith, trymder y gwaith, faint oedd i'w ddysgu. Mae hyn yn wir am gwrs meddygaeth neu gwrs milfeddygaeth. Rwy'n gwybod am lawer sydd wedi dweud, 'O, mae gofyn i chi fod yn llawer mwy clyfar i fod yn fet nag yn ddoctor. Fedr anifail ddim siarad, fedr e ddim o'ch ateb chi 'nôl.' Dyw hynny ddim yn hollol wir. Pan fyddwn i'n mynd ati i drin creadur, fe fyddwn i'n gwneud y penderfyniadau yn seiliedig ar y symptomau. Pan fyddwn ni'n mynd at y doctor, r'yn ni'n datgan ein symptomau. Mae'r un peth yn wir pan fo rhywun yn dod â chi neu gath i mewn. Y perchnogion sy'n rhoi'r symptomau i chi, ac maen nhw'n gwybod yn union am unrhyw batrwm anarferol mae'r creadur yn ei ddangos. Y creadur yn peswch, falle, neu ddim yn bwyta. Mae'r perchennog yn rhoi'r hanes i chi a hwyrach bod y perchennog yn medru gwneud hynny'n fwy cywir na'r milfeddyg ei hun. Wedi'r cyfan, does dim heipocondria yn perthyn i greadur. Os yw e'n edrych yn sâl, mae e'n sâl.

Peth arall sy'n wahanol rhwng y ddau broffesiwn yw ein bod ni'n gorfod trafod pob math o rywogaethau, yn cynnwys y prif bump, sef gwartheg, defaid, ceffylau, moch a chŵn heb son am anifeiliaid anwes sydd, erbyn hyn, yn cynnwys creaduriaid egsotig o nadredd i igwanas, a hyd yn oed llygod mawr. Ond o ran y coleg ei hun, r'ych chi'n dechrau drwy ail-fynd drwy'r Cemeg, y Ffiseg a'r Bioleg. Ac wedyn r'ych chi'n mynd yn fwy technegol, yn camu i fyny un gris arall. Ac un peth mae'r camu un gris i fyny yn y coleg yn ei olygu yw'r ffaith eich bod chi ar eich pen eich hunan. Mae perthynas llawer mwy agos, mwy cynnes rhwng disgybl ac athro yn yr ysgol. R'ych chi'n cael eich meithrin yn fwy gofalus yno. Yn y coleg mae ganddoch chi diwtor, falle, er mai prin iawn oedd yr adegau pan welais i fy un i. Ac r'ych chi'n dibynnu llawer ar eich cyd-fyfyrwyr. Rhannu nodiadau ar ôl noson drom, er enghraifft, un yn helpu'r llall. A maint y gwaith. Mae'r arholiadau'n drwm dros ben. Bob blwyddyn, bron, pythefnos o arholiadau, hynny'n golygu pedwar papur ymhob pwnc ac efallai yn yr ail flwyddyn mae ganddoch chi Anatomi, Ffisioleg, Histoleg – dau bapur ymhob un – ac wedyn, yr arholiadau ymarferol, tair awr yn y labordy. Telyn aur neu goes bren oedd hi i fod.

Bryd hynny, un cyfle oedd ganddoch chi. Erbyn hyn mae'r pwyslais fwy ar asesiad parhaus. Dyw hynny ddim yn dweud fod pethe'n haws, ond mae'n debyg bod myfyrwyr yn cael eu hasesu dros fisoedd a blynyddoedd.

Roedd y myfyrwyr, fel myfyrwyr ymhobman ac ymhob cenhedlaeth, yn medru bod yn ddrwg. Fe fydde'r darlithwyr yn dod i mewn ac yn cyflwyno'u darlithoedd a doedd gyda ni fawr o barch iddyn nhw. Un o'r darlithwyr hynny oedd Chick Offard, a oedd yn arbenigo ar ffowls, neu ddofednod. Doedd gyda ni fawr iawn o ddiddordeb yn y pwnc gan mai fets ar gyfer gwartheg, ceffylau, cŵn a chathod ac yn y blaen oedden ni'n mynd i fod. A phob tro y bydde hwn yn dechre darlithio, fe fydde rhywun yn dechre canu fel ceiliog yn y cefn ac un arall yn ateb. Rhai eraill wedyn yn clwcian a'r darlithydd yn cadw i fynd yn union fel pe bai'n siarad mewn sièd ffowls. Roedd un arall yn darlithio mewn Ffisioleg, ac rwy'n dal i ryfeddu pa mor glou mae rhai gyda'u hiwmor a'u ffraethineb. Siarad am enedigaeth, am obstetreg a gynaecoleg roedd hwn. Fe ddwedodd fod amser geni yn amser argyfyngus, pan oedd y cylchrediad wmbilig yn golygu fod yna newid o galon â thair siambr yn y groth i bedair siambr, hynny'n digwydd ar union eiliad yr enedigaeth.

'Fel y medrwch chi ddychmygu, foneddigion,' medde fe, 'mae dwy neu dair eiliad cynta bywyd yn gwbwl argyfyngus.'

A dyma ateb yn dod o'r cefn, 'Diawl, mae'r eiliadau olaf yn rhai digon anodd hefyd.'

Roedd bachan arall gyda ni, Mike Fox a aeth ymlaen i fod yn

seicolegydd anifeiliaid allan yn America ac yn awdur ar y pwnc. Yn y coleg roedd cymaint o ben arno fe na fydde fe byth yn ysgrifennu nodyn. Roedd e'n cofio popeth. Un diwrnod fe gafodd un o'r darlithwyr lond bol ar hyn ac fe ddechreuodd edliw i Fox a'i gyhuddo o feddwl ei fod e'n gwybod popeth. A dyma fe'n ei wahodd i gymryd at y ddarlith. Ac fe wnaeth Fox. Fe ddarlithiodd am hanner awr o'r union fan y gorffennodd y darlithydd ac fe aeth yn ei flaen heb drafferth.

Fy fydden ni'n sefyll ein harholiadau yn yr un man â'r meddygon yng Ngholeg y Brifysgol yn Llundain. Ac rwy'n cofio eistedd wrth ymyl un ferch oedd yn Barts – ro'n i'n gwneud Anatomi – ac yn edrych drwy'r papur a meddwl a fedrwn i ddod i ben o fewn teirawr. Dyma fi'n edrych draw at y ferch yma ac ar ôl i fi orffen y cwestiwn cynta, doedd hi ddim wedi ysgrifennu gair. Erbyn diwedd yr arholiad roedd ei phapur hi'n wag. Y tu allan dyna lle'r oedd hi'n siarad â'r darpar-feddygon eraill yn ddigon synhwyrol. Yr hyn oedd wedi digwydd oedd iddi gymryd rhyw gyffuriau i'w chadw'i hunan ar ddihun am wythnosau fel y gallai weithio ar gyfer yr arholiad. Roedd hi mewn rhyw fath o freuddwyd, yn credu ei bod hi'n ysgrifennu ond yn gwneud dim.

Nerfau, mae'n debyg, oedd y broblem ac mae hi'n broblem gyffredin adeg arholiadau. Diffyg paratoi sy'n gyfrifol am hynny'n aml. Mae e'n union fel mynd ar lwyfan mewn eisteddfod. Mae nerfau yn medru effeithio ar y gorau, ond maen nhw'n waeth pan nad 'ych chi wedi gwneud eich gwaith paratoi yn ddigon trwyadl. Rwy'n dal i gael hunllef, ac rwy'n siŵr fod llawer yr un fath â fi, lle dwi'n cael fy hun mewn arholiad, yn darllen y papur gosod a heb wybod yr ateb i gymaint ag un cwestiwn.

Roedd y cwrs yn union fel yr un ar gyfer meddygon, yn cynnwys y cyn-glinigol a'r clinigol. Roedd e'n union fel cael car. Mae gofyn i chi ddysgu'r elfennau mecanyddol yn gyntaf, ac yn achos creaduriaid, dysgu am yr esgyrn, yr afu, y galon a'r organau eraill. Dyna'r ddwy flynedd gyntaf. Wedyn y clinigol, a hynny'n golygu 25 wythnos o hyfforddiant allanol, a oedd yn golygu eich bod chi wedi dod drwy'r brentisiaeth ac yn barod i fynd allan gyda milfeddygon.

Fe fues i yn ffodus iawn adeg fy mhrofiad gwaith yn ystod y gwyliau i fod mewn practis gyda Dai Llewelyn yng Nghaerdydd. Fe wnes i ddysgu llawer gydag e. Yn Aberteifi yn y pumdegau a'r chwedegau, prin iawn oedd y cŵn a'r cathod y bydden ni'n eu trin. Ond roedd hi'n wahanol yng Nghaerdydd lle'r oedd llawer iawn o waith orthopedig i'w wneud. Yno y gwelais i, am y tro cynta, gi yn cael pìn metel yn ei goes.

Roedd Dai Llewelyn wastad ar frys. 'Dere, dere, dere. Glou, glou, glou. Cwic, cwic, cwic.' Roedd *Wolsley* gydag e, a dyna'r tro cynta i fi weld car â theliffon radio ynddo fe. Un tro wrth i ni yrru drwy Gaerdydd fe gafodd ei ddal gan yr heddlu am oryrru. A dyma fe'n agor ffenest y car ac yn esgus gweiddi dros y ffôn, '*Able to base, Able to base* . . . Esgusodwch fi, Sarjiant, mae'n ddrwg gen i ond rwy ar alwad brys. Mae buwch yn gwaedu i farwolaeth.' Ac fe gafodd fynd.

Weithiau fe fydden ni mas wedyn ynghanol y wlad a merch yn dod heibio ar gefn ceffyl, a Dai yn rhoi prawf i fi ar anatomi'r ceffyl. Weithiau fe ddywedai, 'Diawl, does gen ti ddim clem.' Ac fe fydde fe'n stopio'r car yn y fan a'r lle a galw'r ferch draw â'i cheffyl tra bydde fe'n rhoi gwers i fi wrth ochr y ffordd. Ac roedd rhywun yn dysgu mwy o weld y peth o flaen eich llygaid: fel yr hen bregethwyr slawer dydd, roedd hi'n haws llyncu pregeth oedd â stori iddi.

Roedd y peth yr un mor wir yn y coleg. Os oedd darlithydd arbennig yn annerch a bod ganddo fe dalent neilltuol i ddisgrifio a dweud stori fe fydde'r lle yn orlawn. Cymerwch Anatomi, er enghraifft, lle mae lluniau'n dangos y prif wythiennau'n goch a'r gwythiennau cyffredin yn las – mae'r lluniau'n lliwgar, ydynt – ond yn un dimensiwn. Ond roedd yr Athro Jimmy McCunn yn eich gosod chi yng nghanol y ceffyl. Fe fydde fe'n dweud pethe fel, 'Rydych chi yn fentrigl chwith y galon a finne yn y goes ôl. Fe wnawn ni gwrdd i gael te am bedwar yn y goes ôl.' A dyna ble bydden ni yn mynd drwy'r ceffyl, i fyny drwy'r galon ac i lawr yr ochr draw. Twll mawr ar y chwith, a McCunn yn dweud 'Dyna brif wythïen yr oesoffagws, dyna'r aorta a dyna'r cylchrediad systemig.' Ac yn y modd yna fe fydde fe'n ein harwain ni drwy holl anatomi'r creadur.

Ac ef oedd yn iawn. Anatomi yw holl sail meddygaeth ac os nad 'ych chi'n gwybod ble mae pob peth, pob rhan, fedrwch chi ddim trin creadur. Pan oedd cymeriadau fel McCunn gyda chi roeddech chi'n ei theimlo'n anrhydedd cael bod yn eu cwmni. Roedden nhw mor ddeallus, roedd cymaint o brofiad ganddyn nhw, a'r un mor bwysig oedd y ffordd o drosglwyddo'r wybodaeth honno. Mae'r un peth yn wir am waith llwyfan. Roedd Nhad yn medru traddodi stori a chael pawb i wrando.

*   *   *

Fe fues i'n ffodus iawn cael llety yn Llundain yn ystod un cyfnod gyda Chymry. Mr a Mrs Evans oedden nhw, wedi mynd i fyw i Lundain o Landdeusant ger Llanymddyfri i gadw gwesty bach o tua ugain stafell wely a bydden nhw'n cadw tuag wyth o fyfyrwyr, rhai'n ddarpar feddygon, eraill yn ddarpar gyfreithwyr. Ac yno y cwrddais i â David Wyn Griffiths, a ddaeth yn artist enwog wedyn, gan beintio lluniau pawb o bwys o Quintin Hogg i'r Tywysog Charles.

Roedd Mr a Mrs Evans yn Gymry o'u pen i'w traed. Yn wir, pan aethon nhw i Lundain gynta rwy'n siŵr iddyn nhw gael trafferth i siarad Saesneg. Roedd Mrs Evans fel mam i ni ac roedd ef yn ddyn hyfryd. Weithiau fe fydde ffrindiau o Lanymddyfri yn dod i fyny i'w gweld nhw, pobol capel, a rhwng popeth fe fyddwn i'n teimlo'n gartrefol iawn.

Roedd e'n lle cyfleus hefyd i'r gwahanol golegau. Roedd yr *LSE* lawr yr hewl. Kings wedyn gerllaw a Phrifysgol Llundain, tra oedd y Coleg Milfeddygol jyst i fyny ychydig yn St Pancras.

Rwy'n cofio ni i gyd yn eistedd yn y lolfa un noson yn gwylio *Tonight* yn cael ei gyflwyno gan Cliff Michelmore a Geoffrey Johnson Smith, a Mrs Evans yn dod mewn. Roedd yno bobol eraill ar wahân i ni, pobol o bobman gan gynnwys pâr ar eu mis mêl. Yn llaw Mrs Evans roedd llythyr oddi wrth ryw ferched o Ffrainc oedd yn dod i weithio yno fel morynion. A dyma hi'n dweud yn uchel dros bob man, 'Mr Bicknell, you know French, don't you? Maybe you'll have time one day to translate for me this letter from France. I've just had this French letter through the post.' A dyma bawb ohonon ni'n chwerthin, gan gynnwys Mrs Evans. Wydde hi ddim pam ro'n ni'n chwerthin, ond roedd hi'n chwerthin gyda ni.

Rwy'n cofio Mrs Evans hefyd un bore dydd Sul yn gofyn i fi, 'Dwedwch wrtha i, Mr Thomas, faint o'r gloch y bore 'ma ddaethoch chi mewn neithiwr?' Roedd hi'n paratoi brecwast anferth o facwn ac wy i ni bob bore ac yn ein trin ni fel petaen ni'n blant iddi. Dyna lwcus oedden ni, pobol ifanc yn eu blwyddyn gyntaf yn dod o hyd i ddarn o Gymru fach oddi cartre yng nghanol dinas fawr yn llawn dieithriaid.

O ran arian roedd gen i ddeg punt yr wythnos i'w wario. Fe wnes i agor cownt yn yr hyn a gâi ei alw bryd hynny yn *National Provincial Bank* yn Camden Town. Yn rhyfedd iawn roedd un o gyfrifyddion y banc hwnnw'n frawd i un o bartneriaid fy nhad, Stephen Evans. Os byddwn i'n gwario mwy na deg punt yr wythnos fe fydde galwad ffôn yn cael ei gwneud i'r gangen yn Aberteifi yn dweud fy mod i wedi mynd dros ben llestri. O'r ddecpunt roedd angen prynu llyfrau heb sôn am y ffaith fod peint o *Worthington E* neu *Watneys Red Barrell* yn swllt a phedair ceiniog, dim ond tua saith ceiniog yn arian heddiw. Ond bryd hynny roedd e'n dipyn, yn enwedig os oeddech chi'n yfwr gweddol. Un wythnos fe aeth y gwariant mor uchel â deuddeg punt, a dyma'r rheolwr banc yn Aberteifi yn ffonio Nhad i ddweud fy mod i wedi mynd yn ddwl yn Llundain.

Roedd rhent y llety yn deirpunt yr wythnos ond ro'n i'n arbed arian trwy fwyta bob nos yn ffreutur Undeb Prifysgol Llundain. Yn y *cafeteria* yn y fan honno fe gaech chi lond bol a mwy am hanner coron.

Roedd hi'n gymdeithas o Gymry oddi cartref – byw gyda'n gilydd, mwynhau gyda'n gilydd, mynd allan i ganolfan Cymry

Llundain ar nos Sadwrn, a hynny yn y cyfnod pan oedd Ryan Davies a Rhydderch Jones yn gymeriadau amlwg iawn. Lawr i'r *Calthorpes Inn* yn Grays Inn Road gyntaf, lle byddai rhywun erbyn deg ar ben y ford yn canu – ac ambell un o dan y ford. Ac wedyn draw i ddawns y Cymry yn Llundain. Roedd hyn yn rhan o fywyd pobl fydde'n dod yno o Gymru.

Bob tro bydde Cymru'n chwarae Lloegr yn Twickenham fe fydde tîm o Aberteifi'n dod i fyny i chwarae yn erbyn Finchley ac fe fyddwn i'n cael chwarae iddyn nhw. Fe fydde hwnnw'n ddiwrnod mawr a llawer iawn o ganu cyn diwedd y nos. Roedd llawer mwy o ganu bryd hynny, a hwnnw'n ganu iawn – canu ysbrydoledig, canu harmoni. A dyna beth sy'n rhyfedd am y canu. Y peth hawsa'n y byd i ni'r Cymry mewn tafarn yw cael rhai i ganu'r alaw tra bod eraill yn troi at ganu bas ac eraill wedyn yn troi at ganu tenor. Yn reddfol, rywfodd, ro'n ni'n cofio'n leins a'r Saeson yn methu deall sut fydden ni'n ei wneud e. Doedd dim clem ganddyn nhw. A phan ddeuai'r Cymry i fyny i Lundain dyna beth oedd y Saeson yn ei hoffi fwyaf, ein clywed ni'n canu. Canu unsain oedd eu pethe nhw. Doedd ganddyn nhw ddim clem am ganu pedwar llais. Hynny, wrth gwrs, sydd wedi gwneud ein corau meibion ni mor boblogaidd. Mae e'n sŵn mor wahanol i ganu unsain.

Ond buan yr hedfanodd dyddiau coleg. A buan, rhy fuan, y daeth hi'n amser i weithio. O'r diwedd ro'n i'n filfeddyg.

Nhad.

Mam â'i chwpan a enillodd
yn y gystadleuaeth laeth yn
Llundain yn y 1920au.

Nhad (ar y dde) gyda'i geffyl rasio; hwn oedd ei sbri amser hamdden prin. Yr hyfforddwr sy'n dal pen y ceffyl.

Cystadleuaeth y *dairy* yn Llundain gyda Mam ar y dde yn y rhes flaen.

Yn Ysgol Fach Aberteifi. Mr Morgan yw'r prifathro (ar y chwith) a T. Llew Jones yr athro (ar y dde). Rydw i yn y rhes flaen (chwith) gyda Ken Davies, John Morgan ac Alan Thomas.

Capten tim rygbi'r Vets yn ystod fy nhrydedd flwyddyn yn Llundain.

Gyda William y ci tri mis oed yn Gwbert. Ef oedd ein ci cyntaf ar ôl priodi –
y ci mwyaf yng Ngheredigion!

Y cyntaf o'r criw i briodi: Tony Morris (ar y dde). Fi oedd y gwas priodas.

Elizabeth a fi'n priodi yng nghapel Bethania, Aberteifi yn 1967.

Matthew (ar y chwith) a'i ffrindiau yn codi arian at achosion da.
Buon nhw wrthi tu fas i Woolworth bob dydd Sadwrn am dair wythnos.

James a Matthew yn diddanu Gareth Davies, y cyn-chwaraewr rygbi
rhyngwladol. Syrpreis pen-blwydd deunaw oed gan Anti Barbara.

Liz yn rhoi gwobr i darw mwy golygus na'i gŵr – a hithau'n wraig i Lywydd Sioe Unedig y Tair Sir yng Nghaerfyrddin.

Brian Francis yn cyflwyno cwpan cystadleuaeth golff i James a Matthew.

Seremoni graddio James yng Ngholeg Kings, Llundain.

Matthew yn ei 'nefoedd fach ei hun', yng nghockpit un o'r awyrenau y bydd yn hedfan wrth ei waith.

Canu wrth ddathlu ennill
yn erbyn Lloegr…

…a'r tad a'i feibion yn gorfod dioddef gweld Cymru yn colli!

Fy mam-yng-nghyfraith hyfryd, Morfudd,
rhwng ei dwy chwaer, Nel a Nancy.

Dic yr Easy Rider.

Roedd y motor-beic yn
gynt na'r eliffant hefyd! Yn
India gyda Hywel a Nina.

Caiff Liz a minnau gyfle i werthfawrogi Sir Benfro ar gefn beic ers i ni ymddeol.

Yn Nhal-y-llyn yn mwynhau'r olygfa gya'r BMW.

Roedd hi'n ddigon gwlyb gyda'r glaw, heb sôn bod y ceffyl yn dechre gwneud dŵr!

'Fy llong fach felen i…' Paratoi i fynd â *Jessica* mas.

Liz yn dal ei swper!

Cwrs dysgu atgyweirio dodrefn. Roedd hi'n haws rhoi llawdriniaeth i fuwch, wir!

Fenis yn dod i Aberteifi: fi yw 'The Duke of Plaza Toro' yng nghynhyrchiad
Opera Teifi o *The Gondoliers* yn Theatr Mwldan.

Gwyliau yn Nhwrci: fi, Liz, Huw, Gwyn Howell a Mary.

Dwli yn y bath mwd yn Nhwrci.

Liz a fi ar y piste gyda Tony a Janet.

Twrci eto – er, fe allai'r fenyw hon yn y farchnad fod o Boncath!

Islwyn, fi, Barbara, Siarlys, Stephanie a Liz yng Nghanada.

Liz a fi ar lan y môr yn yr Eidal.

Gillian, Matthew, Liz, James a fi ar noson olaf Liz gyda Chorws Cymreig
y BBC, yn Neuadd Albert, Llundain.

Y Practis

Peth anodd yw dilyn tad mewn unrhyw yrfa. Mae'r un peth yn wir am deuluoedd ym myd amaethyddiaeth. Yn yr hen ddyddiau cafodd ffermio ei seilio ar deuluoedd mawr. Yr unig ffordd y medrai ffermio weithio a thalu'r ffordd oedd drwy i nifer o'r plant weithio yn rhad ac am ddim.

Roedd hyn yn dal yn wir i raddau pan ddois i 'nôl yn y chwedegau. Roedd llawer o deuluoedd mawr yn yr ardal – nid cymaint ag wyth neu naw, falle, fel y bu'r arferiad hanner canrif yn gynharach, ond dau neu dri chrwt o hyd. Dyna i chi deulu Williams yn y Ferwig. Roedden nhw'n nifer o frodyr a phob un â meibion ganddyn nhw. Ac nid yn unig y meibion oedd yn rhan o'r peth. Yn hanes teulu Williams yn y Ferwig fe gawson ni gefnderwyr hefyd yn Ffynnon Cyff a Throedyrhiw ac yn y blaen. Roedd aelodau o'r teulu yn rhedeg y Ferwig bron i gyd gan gynhyrchu llawer iawn o laeth. Ac roedd teuluoedd tebyg ym mhob ardal, teuluoedd a oedd yn ymfalchïo yn eu llinach ac am barhau'r traddodiad o ffermio. Rwy i'n un o'r rheiny sy'n credu, o ran safon amaethyddiaeth, bod pethe wedi gwella gyda phob cenhedlaeth. Mae pob to newydd yn elwa ar lwyddiant a hanes y rhai fu o'u blaen.

Pan ddechreuais i gyda Nhad fe wnes i sylweddoli'n fuan iawn bod llawer iawn o wahaniaeth rhwng gweld a gwneud. Fe sylweddolais i hynny fy hunan wrth fynd â myfyrwyr ar brofiad gwaith allan gyda fi yn y car. Fe fyddwn i'n gofyn i ambell un, 'Odych chi wedi gwneud genedigaeth Cesaraidd ar fuwch?' A'r ateb yn dod, 'Nadw, ond rwy wedi'i weld e.' 'Odych chi wedi gwneud hysterectomi ar ast neu ar gath?' 'Nadw, ond rwy wedi'i weld e.' Oes, mae byd o wahaniaeth rhwng gweld a gwneud.

Ambell waith mae rhywun yn cael ei roi mewn sefyllfa pan fydd yn rhaid iddo fentro a chymryd risg. Gwneud rhywbeth heb y cymorth angenrheidiol neu heb y cyfleusterau angenrheidiol. Meddyliwch am sefyllfa'n codi yn ystod yr wythnos gynta wedi i fi ddod 'nôl o'r coleg. Y ffôn yn canu ganol nos, 'Helô, Tomos, gwrandwch nawr, Phillips y Crug, y Ferwig sy 'ma. Ody'ch tad yna?' 'Nag yw, mae Nhad wedi ymddeol, a fi sy wedi cymryd y galwadau nos drosodd yn ei le.' 'Wel, 'machgen i, mae'n ddrwg 'da fi ddweud wrthoch chi, pan ffaela i dynnu llo fe fydd hi wedi mynd yn nos bost.' Ac am mai fi oedd wedi ateb, yn hytrach na Nhad, dyma fe'n rhoi'r ffôn i lawr. Ac fe fedra i ddeall pam. Roedd ganddo fe ffydd yn Nhad ar ôl blynyddoedd o'i adnabod a derbyn ei wasanaeth.

Pan fyddwch chi'n cael eich dihuno ganol nos, r'ych chi'n cael ofn i ddechre wrth feddwl am fynd allan i ganol sefyllfa na fedrwch chi, hwyrach, ddygymod â hi. Gorfod galw ar rywun arall, efallai, oherwydd diffyg profiad. Ond fe ddaw rhywun dros y problemau hyn, ac ar ôl profi eich hunan sawl tro fe fydd y ffermwyr yn falch o'ch gweld chi'n galw. Ambell dro, wrth gwrs, beth bynnag wnâi rhywun fe âi popeth o'i le. Y canlyniad fyddai bod y ffermwr yn colli ffydd ynddoch chi ac yn galw ar rywun arall.

Rwy'n cofio meddyg yn dweud wrtha i unwaith iddo fe dderbyn galwad ffôn gan ryw fenyw fach. Fe wnaeth hi ofyn iddo fe pryd fydde fe ar ddyletswydd nesa. A hwnnw'n ateb y bydde fe ar ddyletswydd ddydd Llun, ddydd Mercher a dydd Gwener. Wnaeth e byth ei gweld hi. Eisiau gwybod pryd oedd e ddim yno roedd hi.

Mae'r un peth yn wir am reolwr banc. Mae hi'n bwysig gwybod pryd fydd e ddim yno. Mae fy nheulu-yng-nghyfraith i yn bobol banc – fy nhad-yng-nghyfraith, a fu farw'n ifanc, a brawd-yng-nghyfraith wedyn, Gareth Williams, hwnnw hefyd wedi bod yn rheolwr yn y banc. Ac fe fydde ffermwyr yn llwyr ddibynnol ar reolwr y banc. Ond wrth gwrs, roedd yna rywun yn uwch wedyn, a phan fydde ffermwr yn gofyn am fenthyciad fe fydde'n rhaid i'r rheolwr ei hun fynd at rywun uwch yn y brif swyddfa am gyngor.

Roedd yna un ffermwr yn arbennig oedd yn methu'n lân â chael unrhyw lwyddiant, pob banc yn ei droi fe i lawr a'i sieciau fe'n bownsio byth a hefyd. Fe aeth hwn i'r banc un bore a gofyn am y rheolwr a chael yr ateb syfrdanol fod hwnnw wedi marw. Y bore wedyn roedd e 'nôl yn gofyn yr un cwestiwn, a chael yr un ateb. Roedd y rheolwr wedi marw. Fe wnaeth e hyn am bump niwrnod nes yn y diwedd dyma'r fenyw y tu ôl i'r cownter yn colli ei hamynedd braidd, ac yn gofyn iddo fe pam yn y byd roedd e'n dod i mewn bob dydd i ofyn am y rheolwr, ac yntau'n cael gwybod bob tro bod y rheolwr wedi marw? 'Sori,' medde fe, 'ond diawl, wi'n leicio'ch clywed chi'n ddweud e.'

* * *

Pan ddechreues i yn y practis, fi oedd y donci. Erbyn hyn roedd rhai o'r milfeddygon eraill yn eu deugeiniau neu yn eu pumdegau ac, yn ddigon naturiol, yn ceisio osgoi'r gwaith mwyaf corfforol. Ro'n i, ar y llaw arall, ond yn bump neu chwech ar hugain oed, yn chwarae rygbi'n rheolaidd ac yn eitha ffit. A'r prif waith ges i yn ystod y flwyddyn neu ddwy gynta oedd digornio, hynny yw, tynnu'r cyrn oddi ar bennau'r gwartheg. Fe basiwyd deddf newydd bryd hynny: os oeddech chi am ddigornio yna fe fydde'n rhaid tynnu'r egin cyrn pan oedd y creaduriaid yn lloi bach tua mis oed – eu llosgi nhw allan yn llwyr o dan effaith anesthetig lleol.

Yr hyn y byddwn i'n ei wneud fyddai cael y lloi i mewn i grwsh a defnyddio weier debyg i weiren dorri caws. Yna dau chwistrelliad i mewn i'r nerf rhwng y glust a'r llygad ac wedyn cydio yn nwy handl y weiren a thynnu yn ôl ac ymlaen, hynny yw, llifio. Roedd hyn yn waith caled dros ben gan fod gwythiennau yn dod i fyny drwy'r corn ac os bydde'r rheiny'n dechre gwaedu roedd hi'n mynd yn broblem. Roedd rhaid cadw'r rhythm iawn wrth lifio. Rwy'n cofio gwneud un ffarm, Cilast, Boncath, gan ddigornio tua thrigain o wartheg, gwaith oedd yn golygu bod yno drwy'r dydd. Erbyn diwedd y dydd fe fydde gofyn cael un o'r bechgyn i'ch helpu chi am yn ail. Hanner can ceiniog y pen am bob creadur oedd y tâl bryd hynny

67

ac, ar ôl diwrnod o hynny, fe fyddwn i'n falch cael mynd adre, cael bath a mynd i'r gwely.

Mae'n hawdd edrych 'nôl a sôn am amser caled, ond rwy'n cofio, yn ystod dim ond un bore Sul, Liz y wraig yn gorfod ateb y ffôn 33 o weithiau. Ac yn ystod dim ond un dydd Sul fe wnes i 30 o alwadau: dechrau tua saith o'r gloch y bore a gorffen tua hanner nos. Weithiau fe fydde angen mynd 'nôl ac ymlaen i'r un ardal dair neu bedair gwaith. Fe es i i Faenclochog bedair gwaith gan deithio tua 200 milltir y diwrnod hwnnw.

Yn fuan ar ôl dod 'nôl o Lundain fe wnes i berswadio'r partneriaid i fuddsoddi mewn teliffonau radio. Cwmni *Pye* oedd yn eu cynhyrchu nhw bryd hynny. Ro'n i wedi cael profiad o'u gwerth nhw yng Nghaerdydd pan o'n i ar brofiad gwaith. Un fantais oedd ganddon ni oedd bod y system wnaethon ni ei phrynu yn ein galluogi ni i siarad o un car i'r llall. Roedden ni'n bedwar milfeddyg ac weithiau fe fydden ni'n cael galwad o'r ganolfan i alw mewn fferm a ninnau o fewn cyrraedd hawdd iddi ar y pryd. Rwy'n cofio un ffermwr yn gwneud galwad a finne'n troi i mewn i'r ffald cyn iddo fe roi'r ffôn lawr. Roedd e'n edrych yn syn arna i drwy'r ffenest ac yn methu credu 'mod i wedi cyrraedd mor glou. Fe fuodd y system yn gymorth mawr ond roedd yna gost i'w thalu, tua £800 y flwyddyn, hynny mewn cyfnod pan mai £1,000 y flwyddyn oedd fy enillion i.

Roedd mil y flwyddyn yn gyflog weddol gyffredin i fet yn syth allan o'r coleg. Roedd bwrdd hysbysebion gyda ni yn ein blwyddyn olaf yn Hawkshead House yn Potters Bar lle byddai cwmnïau milfeddygol yn cynnig swyddi i fyfyrwyr oedd ar fin gadael. Aeth un o'r bois i weithio i Mick McClintock, Norwich, am £1,050 y flwyddyn, cyflog da ar y pryd – ac fe wnaeth pedwar o'n bois ni gynnig am honno.

Ar y llaw arall, roedd pethe'n rhad. Y car cynta brynais i oedd *Ford Anglia 105E*. Rwy'n ei gofio fe nawr, EEJ 682 oedd e. Rwy'n cofio mynd lan i garej Gwalia i 'nôl y car a siec am £499 yn fy mhoced i dalu amdano. Cofiaf hefyd ddod allan o lôn ffarm un noson mewn *Estate* glas rhif FEJ 8E, fy ail gar i. Ar nos Sadwrn roedd hyn, ac fe ddanfonodd Liz bedair galwad i fi, a'r rheiny'n alwadau brys pan oedd bywyd creaduriaid yn y fantol. Dyna'r math o bwysau oedd ar rywun. Roedd yn rhaid ateb galwad yn glou. Y noson hon wrth ddod mas o'r fferm i fynd i ateb galwad arall, clywais sŵn ergyd. Roedd cefn y car wedi taro rhywbeth. Lawr â fi am Gastellnewydd, ac wrth i fi gyrraedd fe wnes i sylwi fod nodwydd y mesurydd petrol yn disgyn yn gyflym. Erbyn i fi gyrraedd canol y dre roedd y cloc oedd yn dynodi cynnwys y tanc petrol lawr i'r chwarter. Allan â fi a gweld fy mod i wedi bwrw twll yn y tanc. Roedd pethe fel hyn yn dueddol o ddigwydd. Byddwn i'n torri spring yn aml iawn. Dim rhyfedd o gofio cyflwr y ffyrdd yn y cyfnod hwnnw.

Pwy oedd yng Nghastellnewydd bryd hynny ond Richard Thomas y gof. I mewn â fi a dweud wrtho fe fod gen i bedair galwad ar ôl a gofyn ei farn am beth fedrwn i wneud. Ei gyngor e oedd peidio ag asio'r tanc gan fod ychydig o betrol yn dal ynddo o hyd. Yr ateb gorau oedd gwacáu'r tanc, ei sychu â sychwr gwallt a gosod ychydig o wydr ffeibr dros y twll. A dyna wnaethon ni. O fewn hanner awr ro'n i'n barod i fynd 'nôl ar yr hewl. Fe wnes i ail-lenwi'r tanc â phetrol â bant a fi.

Tua blwyddyn neu ddwy yn ddiweddarach, a'r car wedi'i werthu erbyn hynny, ro'n i lan yng Nglynarthen a dyma fi'n gweld yr hen gar yno. Fe wnes i ofyn i'w berchennog newydd sut roedd y car yn mynd. 'Diawl, dyma gar da,' medde fe. 'Wy'n credu mai rhyw fet o Aberteifi wedd â hwn. Maen nhw'n dweud wrtha i, os gewch chi gar fet nad yw e ddim yn drychid yn dda ond o leia mae e'n well na char ficer. Dyw car ficer ddim ond mas ar ddydd Sul ac mae e'n cael amser i rydu. Ond mae car fet ar yr hewl drwy'r amser. Dim ond un broblem sydd, mae e'n uffernol o sychedig. Mae e'n drwm iawn ar betrol.'

'Diawch,' medde fi, 'petaech chi'n drychid yn y drych fe wnaech chi weld bod y petrol yn eich dilyn chi ar hyd y ffordd. Wy'n gwbod be sy'n bod.' Ac fe wnes i esbonio wrtho fe am y twll yn y tanc. Dim ond dros dro roedd y gwydr ffeibr wedi sticio. Diawch, dyna falch oedd e 'mod i wedi dweud wrtho fe. Fe wnes i ei weld e chwe mis yn ddiweddarach ac fe ddwedodd fod y car wedi codi o ddeunaw milltir y galwyn i dri deg pump!

Mae pob damwain a ges i mewn car wedi digwydd am fy mod i'n mynd yn rhy glou. Ro'n i'n mynd rownd Fagwr-einon Fach ger Trewyddel a mynd yn rhy glou, a phwy ddaeth rownd mewn *Austin 18 Maxi* ond Mrs Lawrence, Tregaman, ffrind i fi ac un o'n cwsmeriaid ni. Roedd hi ar ganol yr hewl a gorfu i fi fynd i ben y clawdd i'w hosgoi hi. Fe drodd y car drosodd ar ei do a'r pedair whilsen lan yn yr awyr. Fe ddaeth hi mas o'i char ac edrych arna i fan'ny, a chynnwys y bocs cyffuriau, y Welingtons a'r wisg tynnu lloi drosta i i gyd. A finne'n ffaelu mynd mas ac yn meddwl, a yw'r car yma'n mynd i fynd ar dân?

'Mae'n ddrwg 'da fi, ond arna i oedd y bai,' medde hi.

'Wi'n gwybod,' medde fi, 'ond peidiwch â becso.'

Gyda hynny dyma'r teliffon radio'n dechre baldorddan, *'Base to Gray Three, Base to Gray Three.* Allwch chi fynd at Williams Heli-fach? Caseg yn dod ag ebol.'

'Sori, na alla,' medde fi, 'rwy â 'mhen tuag i lawr yn y car, ac mae'r car hefyd â'i ben tuag i lawr. Alla i ddim mynd i unman.'

*   *   *

Y peth olaf roedd rhywun ei eisie y dyddiau hynny oedd mynd i rywle ble roedd y cyfleusterau'n wael. Os 'ych chi'n feddyg yn mynd i weld rhywun, mae'r tŷ fel arfer yn dwym neis. Ond yn y dyddiau hynny roedd galwadau'n dod ganol gaeaf – galwad, falle, at fuwch â'i chwd hi mas, *prolapsed uterus* – yng nghanol parc, a chithe'n gorfod cerdded lawr yn cario'r holl offer a chyffuriau. Y dasg gynta fydde ceisio'i chael hi fyny ar ei thraed. Os na fedrwn i, ac fe fedre'r cwd fod yn un mawr, yna fe fydde'n rhaid ei olchi fe ynghanol dom, a chael gwared â'r brych, falle, oedd wrth y cwd. Fe fydde hynny ynddo'i hunan yn cymryd rhwng chwarter awr ac ugain munud. Fe fydde Nhad weithiau'n rhoi siwgwr ar y cwd er mwyn cael yr *Osmotic Effect.* Byddai hynny'n tynnu maint y cwd i lawr.

Os oedd y cwd wedi bod mas am sbel, byddai'n oeri a'r fuwch yn cael sioc. Fe fydde rhai ohonyn nhw hefyd yn dioddef o'r dwymyn laeth. Rhaid fydde rhoi calch yng ngwaed y fuwch

70

wedyn drwy wythïen, gosod sachau twym rownd y cwd, a bydde rhaid codi part ôl y fuwch i fyny oherwydd pwysau'r perfeddion, a oedd yn cynnwys galwyni, heb sôn am gynnwys y stumog. Ac os oeddech chi'n gorwedd ar eich bol ar y parc yn ceisio cael y cwd yma 'nôl i'w le, a hwnnw o faint sach hanner-can pwys, roedd hi'n broblem. O gael y cwd 'nôl a gosod y pwythau fe allai dwy awr gyfan fod wedi mynd heibio. Ac yna galwad arall yn dod. Unwaith, rwy'n cofio mynd lawr at Pattersons, ac ar ôl i fi orffen fe ddwedon nhw wrtha i am fynd i'r bath. Ro'n i'n crynu ac yn las gan oerfel. Ond dyna fe, roedd pethe fel hyn yn gyffredin i bob fet.

Yn y 1960au, un o'r pethe cynta welais i oedd Brwselosis, rhywbeth oedd yn cael ei alw yn *Contagious Abortion* mewn gwartheg. Roedd hwn yn beth erchyll ryfeddol. *Brucella Abortus Bovis* yw'r enw gwyddonol ar y salwch, neu yn Gymraeg, Erthyliad Heintus, hynny'n golygu fod y gwartheg yn taflu lloi rhwng tri a chwe mis. Weithiau, ynghanol yr hyn a gâi ei alw yn Storm Erthylu doedd e'n ddim byd i weld hanner dwsin o fuchod mewn bore yn dioddef. Roedd hyn yn rhywbeth torcalonnus i ffermwr o weld lloi wedi eu taflu mas i'r sodren neu ar y cae. Roedd e'n glefyd oedd yn cael ei gario o un fferm i'r llall. Gallai cadno ei gario a'i ledaenu. Roedd y bacteria yn y brych ac ymhob math o hylifau oedd yn dod mas o'r cwd.

Yn aml iawn yn y dyddiau hynny fe fydden ni'n achwyn am y ffliw, neu dwymyn y chwarennau. Gallai hwnnw gael ei gamgymryd am malaria. Ond, yn aml iawn, Brwselosis oedd e, a hwnnw yn rhywbeth llawer gwaeth na'r ffliw er ei fod yn rhoi symptomau fel y ffliw i chi. Yn ystod fy ngyrfa, dim ond unwaith fues i'n wirioneddol sâl a gorfod gorwedd yn y gwely am fwy na deuddydd neu dridiau. Ac fe ddaeth Dr Rees i 'ngweld i a finne wedi dal Brwselosis. Roedd e'n llawer gwaeth na'r ffliw. Mae e'n dal i gael effaith arna i ar brydiau hyd heddiw. Fe wnaeth Dr Ieuan Williams ymchwil manwl i'r broblem gan ddarganfod fod bron pob milfeddyg yng Nghymru yn dioddef o'r salwch. Fe fydden ni'n tynnu lloi bryd hynny heb feddwl am wisgo menig plastig, a'r fets cynnar ddim hyd

71

yn oed yn defnyddio smoc loia. Y cyfan fydde Nhad yn ei wisgo'n wahanol i'r arfer fydde welingtons, a sach wedi'i chlymu o gwmpas ei ganol. Weithiau fe fydde llo wedi marw ac yn drewi, hynny'n golygu y bydde'ch dwylo chi'n drewi am ddyddiau wedyn. Doedd e ddim yn beth neis iawn.

Yn y chwedegau roedd y pla yn rhywbeth rhyfedd iawn gyda ffermwr yn colli, falle, i fyny at wyth o loi ar yr un pryd. Wedyn fe ddaeth y *Strain 19 Vaccine* i mewn ac fe ddaeth y clefyd o dan reolaeth. Fe fyddwn i'n brechu gwartheg yn ei erbyn â'r *S19* – roedd y Llywodraeth yn ein talu ni am ei wneud bryd hynny. Fe fydden ni'n gosod tag ar eu clustiau nhw wedyn i ddangos ein bod ni wedi ei wneud e. Fe ddaeth amser wedyn pan oedd rhan o'r siec laeth yn cydnabod profi'r gwaed am Brwselosis.

Roedd dyn yn gweithio gyda ni, John Hutton oedd ei enw. Doedd e ddim yn filfeddyg – ffermwr wedi ymddeol oedd e – ond fe gafodd ei hyfforddi yn y gwaith o gymryd gwaed. Fe fuodd yn gwneud y gwaith i ni am flynyddoedd maith ac fe gafodd lysenw addas iawn, John y Gwâd. Fe fuodd John yn driw iawn i'r practis: petai e'n clywed unrhyw gŵyn amdanon ni, fe fydde fe'n siŵr o ddod 'nôl â'r stori fel y gallen ni wneud yn siŵr na wnâi e ddigwydd eto. Roedd e'n amyneddgar, â'i galon yn llwyr yn y gwaith. Roedd e llawn cystal ag unrhyw filfeddyg cymwysedig.

Tua diwedd fy ngyrfa i y cyrhaeddodd y *BSE*. Rwy'n cofio Nhad yn siarad am galedi'r tridegau. Ond i ffermwyr, y *BSE* oedd yr ergyd fawr olaf. Ac erbyn hyn, fel y gwnes i nodi'n gynharach, yr archfarchnadoedd sy'n rheoli. Ydi, mae hanes yn dueddol o ailadrodd ei hun. Hwyrach bod yr achosion am anawsterau ffermwyr yn wahanol ac enwau'r clefydau wedi newid ond yr un yw'r pwysau.

Nid ar y ffermwyr yn unig roedd y pwysau. Roedd e'n effeithio'n ddrwg iawn arnon ni filfeddygon hefyd. Un elfen oedd yn ychwanegu at y pwysau gwaith oedd y drafferth o orfod teithio gymaint, mynd yn ddi-stop, bron, o un lle i'r llall. Roedd bywyd yn un rhuthr wyllt. Nid cynt y byddwn i'n gorffen jobyn na fydde galwad arall yn fy aros o hyd. Dim ond pedwar oedden ni, yn gweithio am yn ail noson ac am yn ail benwythnos. Roedd llawer o'r galwadau yn rhai diangen ond mae e'n beth naturiol i ffermwyr ofidio am eu creaduriaid. Yn y chwedegau a'r saithdegau doedd y tiwberciwlosis ddim wedi dod 'nôl. Ond fe ddaeth e 'nôl yn y nawdegau ac erbyn hyn mae e'n broblem fawr eto. Ond pan ddechreuais i roedd e wedi ei glirio.

Yn y coleg, Obstetrics oedd y peth mawr i ni; sicrhau bod y fuwch yn medru sefyll tarw er mwyn cael llo bob blwyddyn. Hwyrach nad oes llawer o bobol o'r tu allan i'r gymuned amaethyddol – yn wir, dwi'n amau a yw'r Llywodraeth yn sylweddoli hyn – yn gwybod os nad yw buwch yn dod â llo, nad yw hi ddim yn dod i laeth. Mae buwch yn sychu tua mis neu ddau cyn dod â llo, ond wedyn pan mae hi'n dod â llo mae hi hefyd yn dod i laeth. Mae hi'n magu cadair cyn hynny, ac mae'r *lactation curve*, neu'r cromlin llaethiad gyda chi wedyn, a'r fuwch yn godro wrth i'r llo dyfu.

Gyda Brwselosis, doedd ffermwr ddim yn unig yn colli llo ond roedd e hefyd yn colli naw mis o amser gyda buwch nad oedd yn godro, a'i stoc e ddim yn cynyddu. Ond yn fwy na hynny, roedd hi'n anodd wedyn i gael y gwartheg 'nôl mewn i lo, i'w cael nhw i sefyll tarw. Roedd eu ffrwythlondeb nhw'n mynd oherwydd yr effaith ar y cwd. O'r herwydd, llawer o'n gwaith ni bryd hynny, felly, oedd sicrhau bod y fuwch yn dod 'nôl i lo. Roedd hynny'n gysylltiedig â'r bwyd y bydden nhw'n ei gael. Fe fydden ni'n creu rhywbeth a gâi ei adnabod fel proffil metabolaidd. Fe fydden ni'n creu proffil o bob buwch, beth oedd yn ei gwaed hi ynghyd â'r cynnwys mwynol i gyd. Roedd hynny'n help i ddod â nhw 'nôl i loia.

*   *   *

Ar ôl ymddeol rwy'n dal i fynd rownd y ffermydd gyda'r *Farm Assurance* ac rwy'n cael hanesion gan y ffermwyr am yr hen ddyddiau, am filfeddygon y gorffennol ac am y safonau y byddai ffermwyr yn eu disgwyl. Ac un gair sy'n codi o hyd yw amynedd. Amser yw'r bwgan o hyd. Pan oedd rhyw wyth galwad ganddoch chi, a hithe'n dod at amser cinio dydd Sadwrn, fe fyddwn i'n edrych ymlaen at y penwythnos ac ychydig o saib. Ac yna, ar ôl i fi orffen galwad fe fydde rhywun yn dweud, 'Gan eich bod chi yma, wnewch chi edrych ar y gath?' Wedyn roedd tuedd i chi fynd yn grintachlyd. A'r cyngor sydd gen i ar gyfer unrhyw filfeddyg ifanc yw peidio â gwylltio, cymryd amser i sgwrsio, rhoi o'ch amser iddyn nhw. Does gan y ffermwr ddim diddordeb mewn gwybod ble byddwch chi'n mynd nesaf. Dyw e ddim am glywed nad oes amser ganddoch chi am fod rhywun arall yn disgwyl amdanoch chi. Mae e'n gofyn am eich amser chi, ac yn eich talu chi am yr amser hwnnw. Mae e'n gofyn am eich gorau chi ac yn ei haeddu, ac mae hynny'n golygu amynedd. Ac mae hynny hefyd, yn ei dro, yn golygu bod rhaid i chi fwynhau'r gwaith. Fel unrhyw swydd, dyw hi ddim yn fêl i gyd; r'yn ni'n gorfod gwneud rhai pethe y bydde'n well ganddon ni beidio â'u gwneud. Ond mae'n rhaid i chi ddangos fod ganddoch chi ddiddordeb yn y pwnc.

I fyfyrwyr heddiw, hwyrach am fod safonau mor uchel erbyn hyn, mae llawer o'u gwaith nhw'n ddi-fflach a diddychymyg ac mae hi'n anodd iawn iddyn nhw greu rhyw ysbryd positif. Ac mae cadw safon mewn bywyd yn beth anodd iawn. Mae 'na stori am hen ffermwr yn mynd â fet ifanc lan yn bell i ryw barc i weld dafad oedd yn sâl. Cerdded drwy'r caeau roedden nhw a dyma nhw'n mynd dros sticil a'r ffermwr yn dweud wrtho fe, 'Drychwch nawr, rwy yma ers tro bellach, ac fe wnes i godi'r sticil 'ma tua hanner can mlynedd 'nôl. Ac mae hi yma o hyd. Pan godais i hi, fe wnes i'n siŵr ei bod hi'n wastad, yn gadarn ac yn syth. Fe wnes i fy ngorau, a dyna pam mae hi yma o hyd. Cofiwch, dim ond y defaid sy'n ei gweld hi fel arfer. A wi'n credu, wrth i chi ddechre'ch bywyd fel milfeddyg nawr, na ddylech chi fecso os mai dim ond y defaid sy'n eich gweld chi. Gwnewch e'n iawn.'

Byddai sbaddu ebolion yn waith cyffredin iawn, ac ro'n i'n gallu sbaddu ebol ar ei draed. Yn y dyddiau cynnar roedd 'na sawl ffordd. Pan o'n i'n fyfyrwyr roedd sbaddwyr yn bod, pobol fyddai'n mynd o gwmpas yn broffesiynol i wneud y gwaith. Ond erbyn i fi ddod 'nôl roedd llawer iawn o waith sbaddu i'w wneud. Roedd yna dymor sbaddu ceffylau. Ambell waith fe fyddech chi'n mynd ac fe fydde nifer o ffermydd yn casglu tua dwsin o ebolion ynghyd gyda'i gilydd. A gyda help, fe wnaech chi'r cyfan mewn diwrnod. Clymu oedd y ffordd bryd hynny. Roedd yna'r dull *Roofs* i gwympo buwch, clymu rhaff o gwmpas ei chyrn, rownd ei phen neu drwy'r penwast a lawr ei chefn a'i chwympo fel'ny. Ond gyda cheffyl roedd y rhaff yn mynd i lawr rhwng y coesau, rownd y coesau ôl a lan i'r gwddw a lawr gyda dau grwt bob ochr yn tynnu. Yn syml, y dull oedd ei bacio fe lan bron fel parsel. Wedyn fe fyddai'n hawdd ei gwympo fe a'i droi ar ei gefn.

Fe fydde sawl un yn cael eu paratoi gyda'i gilydd a'u rhoi mewn rhes. Roedd tîm o ffermwyr gyda chi, ac yno y bydden ni drwy'r dydd. Wedyn fe aeth pethe'n fwy soffistigedig gyda dyfodiad yr anaesthetig *Intraval*. Roedd rhaid aros gyda nhw wedyn nes iddyn nhw ddod atynt eu hunain a chodi ar eu traed. Fe allai hynny gymryd awr neu ddwy. Wedyn fe ddaeth cyffur arall ar y farchnad, *Immobilon* – doedd hwn ddim cystal i'w rhoi nhw i gysgu ond roedd mwy o amser gyda chi i sbaddu. Yna, gyda chymorth cyffur arall eto ro'n nhw'n dihuno. Potel fach wen i'w rhoi nhw i gysgu, a photel fach las i'w dihuno nhw. Roedd e'n fwy effeithiol o'i chwistrellu i'r wythïen.

Pan o'n i ar ymarfer yng Nghaerdydd roedd Dai Llewelyn yn gwrthod yn lân â sbaddu os nad oedd y ceffyl wedi'i dorri i mewn ac yn arwain ar benwast. Wedi'r cyfan, os ydych chi am roi rhywbeth mewn gwythïen, mae'n rhaid i'r ceffyl aros yn weddol lonydd. Mewn unrhyw waith gyda cheffylau mae hi'n bwysig cael pawb sy'n eu trin nhw yn bobol sy'n deall ceffylau. Yn anffodus roedd llawer o blant yn cael ceffylau, a'r rheiny heb fod â disgyblaeth dros y creaduriaid, heb sôn am fod â disgyblaeth drostynt eu hunain.

Fe ges i alwad unwaith oddi wrth gyfaill ysgol i fi, Llwyd Edwards, y pensaer. Roedd ei wraig, Jackie, wedi dweud bod eisie sbaddu'r ebol. Fe drefnodd Llwyd ei fod e gartre ar y bore arbennig hwnnw er mwyn helpu, er na wydde fe lawer am geffylau. Fe aethon ni mas â'r ebol i'r parc, y dŵr a'r sebon gyda ni, yr *Immobilon* a'r cyffur gwrth-tetanws, penisilin, popeth roedd ei angen. Roedd y ceffyl ychydig yn afreolus. Bob tro y byddwn i'n mynd yn agos ato fe, byddai'n dal ei ben i fyny'n uchel, a Llwyd yn tynnu arno fe. Mae Llwyd, fel fi, yn un bach, cyhyrog, cryf. Doedd dim gobaith mynd yn ddigon agos i chwistrellu i mewn i'r wythïen, a'r unig ateb felly oedd ei chwistrellu i un o'r cyhyrau. Yn anffodus doedd y cyffur ddim hanner mor effeithiol o'i roi yn y cyhyr. Fe fydde'n cymryd tua deg munud i weithio gyda'r ceffyl yn mynd rownd a rownd, yn dechre crynu ac yna yn cwympo a chodi am yn ail. Fe wnes i wthio'r nodwydd i mewn a gwasgu'r hyn roedd ei angen o'r *Immobilon*, tua 2ml. Ond cyn iddo fe ildio i'r cyffur, dyma fe bant ar hyd y parc fel ceffyl rasys a Llwyd gydag e. Fe aeth drwy un berth ac i'r parc nesa a Llwyd yn dal i gydio wrtho fe'n dynn. Petai e wedi gadael iddo fynd, fe alle'r ceffyl yn hawdd fod wedi torri drwodd i'r ffordd fawr a mynd i gysgu yno. Ymlaen aeth y ceffyl, a Llwyd yn dal gafael o hyd, ar draws dau barc, a finne'n rhedeg ar eu hôl yn cario bwced yn llawn offer ar gyfer y sbaddu. Ac yna fe gwympodd y ceffyl a Llwyd gyda'i gilydd yng nghysgod clawdd pella'r ail barc. Ac yn y fan honno wnaethon ni sbaddu'r ceffyl.

Rwy'n cofio mynd lan unwaith wedyn at Williams Black Oak, Capel Iwan, i gael golwg ar un o'r gwartheg. Problem y fuwch oedd bod dim byd yn dod drwyddi. Ar ôl edrych arni, fe ddwedes i wrth Williams mai'r hyn oedd yn poeni'r fuwch oedd *Intussuception*. Mae pobol yn gallu dioddef o'r salwch hwn hefyd, sef pan fydd un pishyn o'r perfedd neu'r bowel yn mynd mewn i'r llall, fel telesgop, bron. Mae'r canol wedyn yn blocio i fyny ac yn pydru. Fe all droi'n *gangrene*, neu fadredd. A dyma fi'n troi at Williams a gofyn a fydde fe'n barod i roi help llaw i fi gan y bydde gofyn agor y fuwch ar unwaith neu fe fydde hi'n siŵr o farw.

'Iawn,' medde Williams, 'sdim ofan gwaed arna i. Rwy wedi

byw ar ffarm erioed ac yn gyfarwydd â sbaddu moch. Does dim problem.'

Fe aethon ni â'r fuwch i gornel y parlwr godro a shafio'i hystlys chwith ac yna gweinyddu'r anesthetig. Allan wedyn â'r offer a gosod y cyfan ar fwrn o wellt a gofalu bod yno ddigon o ddŵr twym a sebon a diheintydd. Wedyn ei golchi hi a rhoi rhywbeth i'w thawelu hi. Fe wnes i agor y fuwch a thynnu'r perfedd mas nes gweld y darn pwdr du, a hwnnw'n ddarn mawr. Fe wnes i esbonio nawr y byddwn i'n torri'r darn pwdr mas ac yna gwnïo'r ddau ben yn ôl at ei gilydd. Roedd gefail gen i ar gyfer dal y perfeddyn, sef *bowel clamp*. Erbyn i fi ddod at y gwaith o dorri allan y pishyn drewllyd o berfedd a chael y ddau ben iach at ei gilydd i fi gael eu pwytho, fe ddechreuodd Williams achwyn ei fod e'n teimlo'n dwym. Ac yn wir i chi, roedd e'n edrych yn llwyd. A phan mae hynny'n digwydd i rywun, chi'n gwybod ei fod e'n mynd i bango unrhyw funud.

'Panga di nawr, ac mae'r operesion 'ma ar ben,' medde fi. 'Aros ar dy draed.'

Ro'n i'n pwyso yn erbyn y fuwch, yn pwyso am yn ail yn erbyn Williams ac yn gwthio'r bwrn y tu ôl iddo fe rhag iddo fe ddisgyn, ac yntau'n dal yr holl offer. Roedd e'n para'n llwyd ac yn tuchan. A dyna ble o'n i'n pwytho â'r nodwyddau ac yn ei gadw fe i siarad. Fe ddaethon ni i ben â gorffen y gwaith ac, yn bwysicach fyth, fe wnaethon ni achub bywyd y fuwch.

Cyfathrebu

Cysylltu. Cyfathrebu. Cyfleu. Tri gair sy'n cychwyn â'r un llythyren. Tri gair mawr ym mywyd milfeddyg. A thri gair mawr ym mywyd siaradwr cyhoeddus. A'r tri gair, i raddau, yn golygu'r un peth. Mae'r milfeddyg ar alwad bob munud o'r dydd neu'r nos. Yn fy achos i, fe fydde'r ffôn yn canu ar unrhyw adeg ac fe fydde'n rhaid mynd. Mae'r un peth yn wir, wrth gwrs, yn achos y meddyg, pobol ambiwlans neu'r heddlu. A phan ga i wahoddiad i annerch gwahanol gymdeithasau a mudiadau, anodd yw gwrthod hynny hefyd.

O ran milfeddygaeth, pan fydd rhywun mewn pryder, mae angen cymorth, a hynny ar fyrder. Ac felly roedd hi gyda ni – y fuwch yn gwaedu wrth ddod â llo: y ffermwr wedi tynnu'r llo, falle, ond yn methu atal y gwaed; mae'r fuwch yn y dwymyn laeth; mae'r fuwch wedi cwympo i'r afon; mae'r gaseg yn y colic ac yn mynd i farw. Dyna'r math o negeseuon fyddwn i'n eu derbyn bob dydd.

Dyna pam mai un o hoff ddywediadau Dai Llewelyn dros ginio pan o'n i'n gwneud gwaith ymarfer gydag e oedd, 'Dere mlân nawr, bwyta dy ginio. Dere, dere, dere. Glou, glou, glou.' Fel yna mae disgwyl i filfeddyg fod.

Mae cysylltiad yn hollbwysig, cysylltiad rhwng y bobol a'r milfeddyg, ac mae e'n ddibyniaeth sy'n gweithio ddwy ffordd. Mae'r cwsmeriaid yn dibynnu arno fe am gymorth tra'i fod e'n dibynnu arnyn nhw am ei fywoliaeth. Maen nhw'n dibynnu arno fe i gyrraedd mor fuan ag y mae'n bosib fel y gall wneud ei orau dros greadur ac achub ei fywyd. Mae creadur yn elw, dyna yw bywoliaeth y perchnogion. Bod ar alw'i gwsmeriaid yw gwaith milfeddyg, bod yn rhan o'r gymdeithas. Mae e'n dibynnu arnyn nhw am fusnes ac am gynhaliaeth.

Mae'n galed meddwl, pan ddechreuodd Nhad yn 1921, nad oedd ffôn yn gyffredin o gwbl. Os oedd ffermwr am gael hyd iddo fe, telegram oedd yr ateb. Twm Barry Post fyddai'n dod â'r telegrams iddo fe yn y blynyddoedd cynta, hynny yw, Tom Barry House, oedd yn bostmon. Ond Twm Barry Post oedd e i bawb.

Roedd gan bawb lysenw bryd hynny. Fe wnes i gyfeirio eisoes at Tom Pop. Dyna i chi Dai Byngalo wedyn, am nad oedd ganddo fe ddim byd lan llofft. Dai *Central Eating*, am mai dim ond un dant oedd ganddo fe, a hwnnw yn y canol. Beth bynnag, Twm Barry Post oedd yn dod â'r telegrams.

Yn ystod y dyddiau cynnar hynny pan oedd Nhad yn dechre fe gafwyd y syniad o gychwyn clwb criced yng Nghastell-newydd. Fe etholwyd Twm Barry Post fel ysgrifennydd a thrysorydd. Roedd tua ugain punt wedi'i gasglu, arian mawr bryd hynny, ond yn anffodus fe wariwyd yr arian yn y dafarn a doedd dim ceiniog ar ôl. Dyma'r offer yn cyrraedd, y rhwydi a'r pads, y batiau a'r peli. Ac yna'n anffodus dyma'r bil hefyd yn cyrraedd oddi wrth *Gammages* yn Llundain. A Twm yn danfon llythyr 'nôl yn dweud, 'I'm sorry to inform you, we cannot settle this account. Secretary dead.' Cyn hir daeth bil arall, ac un arall wedyn, a'r diwedd fu danfon y *'final demand'*, gydag wythnos i dalu. A llythyr yn cael ei anfon 'nôl gan Twm, 'Sorry to inform you, but Secretary still dead.'

Wedyn fe ddaeth y ffôn i Geredigion ymhen amser. Fe agorwyd cyfnewidfa deliffon yn Aberteifi, a phwy oedd yn gweithio yno ond Tunis Evans, oedd yn yr ysgol gyda fi. Ac weithiau fe fydde honno'n ffonio a dweud rhywbeth fel,

'Helô, Dic, Tunis sydd 'ma. Ti sydd ar ddyletswydd heno, ife?'

'Ie,'

'Pwy sydd gyda ti, 'te?'

'O, fi a Evans sydd wrthi heno. Fi sydd â'r alwad gynta. Mae Jones Llan-y-cefn gyda fi ar y lein fan hyn mewn panic mawr. Wyt ti am i fi ei roid e drwyddo i ti?'

A dyna sut roedd hi. Erbyn heddiw, beth sy'n digwydd? Hwyrach bod dyfeisiadau mwy soffistigedig yn bod – cyfrifiaduron, e-byst, rhyngrwyd, ffôns poced. Erbyn hyn mae pob plentyn ysgol, bron, â'i ffôn poced. Petai Tom Pop 'nôl heddiw fe fydde fe wedi casglu pob ffôn poced a'u rhoi nhw mewn basged a'u cadw nhw yn ei stafell – neu eu taflu nhw i afon Teifi. Châi neb ddefnyddio ffôn poced yn yr ysgol petai Tom Pop yn dal yn brifathro.

Ond beth gewch chi heddiw ar y ffôn? Cael eich pasio ymlaen at rywun arall ac at rywun arall eto fyth. Gwasgu botwm, gwasgu seren, gwasgu hash. Ac yn y diwedd 'ych chi 'nôl yn union ble dechreuoch chi. Rwy'n cofio ffonio unwaith i'r *DVLC* yn Abertawe. Gwasgu botymau a chyrraedd yr un man bob tro – *'Any other service'*. Fe halodd hi hanner awr cyn i fi lwyddo i fynd drwodd ac yn y diwedd dyma lais yn dod, yn union fel llais robot, 'Hello, Monica speaking. How can I help you?' A finne'n gofyn iddi, 'Monica, cariad. A wyt ti'n fenyw fyw o gig a gwaed sy'n anadlu?'

'Beth 'ych chi'n feddwl?' medde hi. A finne'n esbonio fy mod i wedi bod yn siarad â pheiriannau am hanner awr ac yn ymbil arni i aros ar y lein gan ei bod hi'n swnio fel person go iawn.

A dyna i chi wedyn y bobol sy'n ffonio i gynnig pethe i chi. A dim byd yn y diwedd. Os ydi'r cwmnïau hyn yn ymwybodol o'ch côd post chi nawr, yna maen nhw'n gwybod bron bopeth amdanoch chi. Slawer dydd roedd y cysylltiad yn fwy uniongyrchol rhwng un person a'r llall, a phopeth yn bersonol ac yn gyfrinachol.

Mae 'na stori am filfeddyg yn cael galwad un noson oddi wrth ddyn oedd â phroblem ryfedd. Roedd y ci wedi llyncu condom. Yna, ychydig funudau'n ddiweddarach dyma alwad arall oddi wrth yr un dyn, a'r milfeddyg yn dweud fod popeth yn iawn a'i fod e ar fin gadael. 'Na, na, mae popeth yn iawn nawr,' medde'r dyn, 'does dim angen i chi ddod. R'yn ni wedi ffeindio condom arall.'

Un noson dyna filfeddyg arall yn derbyn galwad ym mherfeddion nos, a phroblem y bachan oedd yn galw oedd bod ganddo fe ast pwdl yn cwna a bod yr ast a'r corgi ynghlwm yn ei gilydd. Dyma'r fet yn cynnig cyngor iddo fe – eu gwahanu nhw â brwsh cans neu daflu dŵr oer drostyn nhw. Ond roedd y dyn wedi rhoi cynnig ar bethe fel hynny. Roedd e wedi rhoi cynnig ar bopeth. A dyma ofyn iddo fe, 'Oes ffôn poced gyda chi?'

'Wes,' medde fe.

'Wel,' medde'r fet, 'dewch â'r rhif i fi ac wedyn gosodwch y ffôn wrth glust y ci ac fe ffonia i 'nôl.'

'Chi'n meddwl y gwnaiff hynny weithio?'

A'r fet yn ateb, 'Wel, fe weithiodd e gyda fi, beth bynnag.'

Yn aml iawn, plentyn fydde'n ateb y ffôn. Ac mae plant yn gwbwl naturiol a gonest ac wedi rhoi oriau o sbort i fi. Mae'n drychineb heddiw bod plant yn gorfod cael eu gwarchod mor ofalus oherwydd y drygioni sydd yn y byd. Os gwelwch chi blentyn yn llefen heddiw oherwydd ei fod e neu hi ar goll, fedrwch chi ddim codi'r plentyn yna i fyny a rhoi cwtsh iddo fe neu hi. Mae'r diniweidrwydd naturiol wedi diflannu ac mae hyn yn beth difrifol. Mae'r berthynas rhwng oedolion a phlant yn beth pwysig dros ben.

Ac fe fydda i wrth fy modd gyda storïau plant. Rwy'n cofio ffonio i fferm arbennig un diwrnod ac un o'r plant yn ateb. Finne'n dechre siarad ag e.

'Odi dy dad yna?'

'Nad yw, mae e mas yn godro.'

'Beth am dy fam?'

'Na, mae hi mas yn bwydo'r lloi. Ond mae 'mrawd i yma.'

'Da iawn,' medde fi. 'Galwa arno fe i ddod i'r ffôn i fi gael trefnu gydag e ar gyfer fory, pan fydda i'n galw.'

Fe aeth y plentyn i 'nôl ei frawd ac ymhen dwy neu dair munud roedd e 'nôl ar y ffôn. 'Damio, sori,' medde fe, 'mae e'n rhy drwm. Wi'n ffaelu ei godi fe mas o'r cot.'

*   *   *

Mae dull arall o gyfathrebu wedi chwarae rhan bwysig yn fy mywyd i, fel y gwnaeth yn achos fy nhad, sef cyflwyno anerchiad wedi cinio. Rwy'n cofio Nhad yn dweud fod Daniel yn fachan lwcus. Un peth ar ôl cael ei daflu i ffau'r llewod na fydde'n rhaid iddo fe'i wneud fyddai cyflwyno araith ar ôl cinio. Ond mae darlithio mewn ciniawau wedi chwarae rhan bwysig yn fy mywyd i ac, unwaith eto, dylanwad Nhad yw hyn. Fe fydde fe'n pregethu ar ddydd Sul ac yn mynd allan i draddodi sgyrsiau, llawer o'u cynnwys wedi ei seilio ar yr ysgrythur. Yn hynny o beth mae arnaf ofn na wnes i ddilyn ei esiampl e, ond fe wnes i o ran yr arfer o ddarlithio.

Mae pobol sydd â'r ddawn i siarad wedi cinio yn brin. Mae'n syndod faint o alwadau fydda i'n eu cael, nid am fy mod i'n dda ond oherwydd prinder pobol sy'n gwneud y gwaith. Os oes gen i unrhyw rinwedd, yna bod yn naturiol yw hynny. Un peth fedra i ei wneud yw dweud stori, dawn a etifeddais oddi wrth Nhad. Nid pawb sydd â'r gallu i wneud hynny.

Roedd Eirwyn Pontshân yn medru dweud stori. Mae Dai Jones Llanilar yn medru dweud stori. Mae e wedi digwydd i'r rheiny, mae'n rhaid, fel i finne droeon, sef dweud stori, ac yna llai na deng munud yn ddiweddarach mae rhywun arall yn dweud yr un stori. Ond yn aml iawn, wrth ei hailadrodd, maen nhw wedi colli amseriad ac ergyd y stori – hynny yw, maen nhw'n difetha ergyd y stori trwy ei datgelu cyn eu bod nhw'n dechre, bron iawn.

Rwy'n teimlo o hyd mai cyfrinach dweud stori yw'r elfen o greu syndod. Ond beth yw hiwmor? Dyna i chi gwestiwn. Petaech chi'n holi dwsin o wahanol bobol fe fydde gan bob un syniad gwahanol. Fe fyddai rhai yn dweud mai hiwmor yw chwerthin ar ben rhywun arall, ar ben anffodusrwydd rhywun arall. Dyna pam mae hi'n ddoniol gweld rhywun yn llithro ar groen banana. Chwerthin ar ben twpdra pobol eraill, chwerthin ar ben troeon trwstan pobol eraill. Ond i fi, rhywbeth cwbl naturiol yw hiwmor. Ac mae yna rai sy'n brin iawn o synnwyr hiwmor.

Mae'r math o storïau fydda i'n eu defnyddio wrth siarad yn gyhoeddus yn esbonio, hwyrach, y math o hiwmor rydw i'n ei hoffi. Ac i fi fe ddechreuodd hynny gyda'r eisteddfod, ac yn arbennig gyda chystadlaethau siarad cyhoeddus Mudiad y Ffermwyr Ifainc. Mae e'n drueni mawr nad yw plant a phobl ifainc heddiw yn cael eu meithrin i siarad yn gyhoeddus.

Fe ges i brofiad yn ddiweddar o sgwrsio â bachgen ifanc

oedd yn arbenigwr ar wasgu botymau ei gyfrifiadur ond fedre fe ddim cysylltu â fi drwy siarad na thrwy ysgrifennu. Methu cyfathrebu. Ac yn anffodus mae hyn heddiw yn gyffredin mewn cymdeithas. Hwyrach bod hyn yn swnio'n hen ffasiwn, ond rwy'n credu'n gryf mai'r hyn sydd i'w gyfrif am y gwendid hwn yw colli'r Ysgol Sul, y Seiat a'r Clybiau Ffermwyr Ifainc.

Un peth sydd wedi para yw Eisteddfod yr Urdd. Roedd – ac mae – cael llwyfan yn Eisteddfod yr Urdd yn beth mawr. Rwy'n cofio'n dda cael fy llwyfan cynta, a hynny pan o'n i yn yr ysgol. Y darn gosod oedd 'Y Deryn Pur'; fi, Alan Thomas a John Esau ar y llwyfan. Trydydd ddes i ar lwyfan y pafiliwn yn Aberteifi. Er i fi deimlo fel cyfogi cyn mynd ar y llwyfan, roedd hwnna'n brofiad mawr ac fe fu'n help ar gyfer perfformio'n gyhoeddus yn y dyfodol.

Fe ddywedodd rhywun rywbryd fod yr ymennydd dynol yn beth rhyfedd iawn. Mae e'n cychwyn pan gawn ni'n geni ac mae'n peidio pan godwn i draddodi araith wedi cinio. Mae hi'n bwysig i chi gael y gynulleidfa gyda chi o'r dechrau. A'r peth hawsa yn y byd yw eu colli. Unwaith fyddwch chi'n cychwyn mae hi'n bwysig i chi fynd ymlaen o ben y dalar ar hyd y gŵys wnaethoch chi eich hunan ei thorri heb feddwl am yr hyn mae'r gwylanod yn ei wneud uwch eich pen. Rwy wedi gweld pobol yn ei cholli hi'n llwyr. Mae rhai yn cyrraedd wedi paratoi araith, a honno'n gwbl anaddas ar gyfer y gynulleidfa sydd o'u blaen. Mewn priodas, er enghraifft. Y gwas priodas yn sôn am y priodfab, a dweud rhyw bethe personol na ddylai neb eu clywed. Mae hi bron yn ffasiwn erbyn hyn i wneud hynny er gwaetha'r ffaith fod y ficer neu'r gweinidog yno, fod plant yno, fod y fam-yng-nghyfraith yno. Mae yna gymaint o bobol sy'n codi i siarad ond heb fod ag un syniad sut mae trin cynulleidfa. Ac rwy'n sicr bod meithrin pobol i wynebu cynulleidfa yn beth da.

Fe ges i wahoddiad gan rywun unwaith i siarad mewn cinio Gŵyl Dewi. 'Faint ohonoch chi fydd yna?' medde fi.

'O, tua chant a hanner,' medde fe, 'gwragedd hefyd.'

'Iawn,' medde fi. 'Pa fath o araith fyddwch chi'n ddisgwyl?

Sgwrs ar ffarmwriaeth a milfeddygaeth, falle? Ydyn nhw'n bobol glyfar iawn? Pa fath o *IQ* sydd ganddyn nhw?'

'Tua 150 o *IQ,*' medde fe.

'Diawch,' medde fi, 'mae hwnna'n uchel.'

'Nad yw,' medde fe, 'nid y cyfartaledd yw hwnna ond y cyfanswm.'

Mae dechreuad da yn bwysig bob amser er mwyn dal sylw'r gynulleidfa o'r cychwyn cynta. Un ffordd o ddechrau'n dda yw dweud rhywbeth yn erbyn eich hunan. Mae ychydig o wyleidd-dra yn help. Mae cynildeb hefyd yn bwysig. Yn aml fe fydda i'n agor gyda'r stori am bedwar o ddynion yn teithio mewn trên ac yn dechrau siarad â'i gilydd am y tro cyntaf. Dyma un yn dweud, 'Fy nghyfenw i yw Thomkinson. Rwy'n Frigadydd ym Myddin Prydain, rwy'n briod ac mae gen i un ferch sydd yn Ysgol Roedean.' A dyma'r ail yn dweud, 'Wel, wel, dyna gydddigwyddiad. Tomlinson yw'r enw, rwy inne'n Frigadydd yn y Fyddin Brydeinig, yn briod ac mae gen i ddau fab, un yn Ysgol Economeg Llundain a'r llall yng Ngholeg yr Iesu.' Dyma'r trydydd yn dweud rhywbeth yr un peth eto. 'Wilkinson yw fy enw i. Rwy'n Frigadydd ym Myddin Prydain, yn briod a'r plant mewn ysgol breifat yn y Swistir.' Ond dyma'r pedwerydd yn dweud, 'Jenkins yw fy nghyfenw i, dydw i ddim wedi priodi erioed ond mae gen i dri mab, a'r tri yn Frigadyddion.'

Un o'r storïau gorau glywais i erioed oedd honno gan Ifan Gruffudd ar *Mae Ifan 'Ma*. Dw i wedi ei defnyddio hi droeon, a hynny heb ei difetha hi, gobeithio. Roedd dyn yn eistedd yn siop y barbwr a merch brydferth iawn yn dod i mewn. A dyma fe'n edrych arni yn y drych a dweud, 'Jiw, chi'n bert. Leiciwn i fynd â chi gartre a rhoi *Martinis* i chi, arllwys siocled drostoch chi i gyd a'i lyfu fe bant.'

'Allwch chi ddim gwneud hynna,' medde hi, 'rwy'n briod.'

'Wel, dwedwch wrth y gŵr eich bod chi mas gyda Merched y Wawr,' medde fe.

'Dwedwch chi wrtho fe,' medde'r ferch, 'mae e'n eich siafo chi.'

Mae storïau sy'n tynnu rhywun i lawr yn gweithio bron bob

tro. Dyna i chi Tommy Cooper. Roedd e'n feistr ar y gamp. Dyna i chi'r stori amdano'n dweud iddo fe gnocio ar ddrws rhyw fenyw a gofyn iddi am gael sgwrs â'i gŵr. Honno'n ateb gan ddweud fod ei gŵr wedi marw'r bore hwnnw. A Tommy yn gofyn iddi, 'Wnaeth e ddim dweud fod ganddo fe dun o baent i fi, do fe?'

Un peth wnes i ddod i'w ddeall yn gynnar oedd nad yw pobol yn hoffi gormod o glyfrwch. Maen nhw am i'r siaradwr ymddwyn yn naturiol. A does dim byd yn well ganddyn nhw na chael storïau lle mae'r Cymro bach yn rhoi rhyw foi mawr, pwysig yn ei le. Dyna pam r'yn ni mor falch pan fydd ein tîm rygbi ni yn curo'r Saeson. Ac r'yn ni'n casáu tîm rygbi'r Saeson am eu bod nhw bob amser mor hyderus. Maen nhw'n meddwl eu bod nhw'n well na phawb arall, a'u bod wedi bod yn well na neb arall erioed.

Mae'n bwysig wrth siarad yn gyhoeddus hefyd bod eich traed chi ar y llawr. Dyna pam mae'r Gwyddelod yn cael lle mor gynnes yn ein calonnau ni, y Cymry. Rwy'n cofio mynd unwaith i Iwerddon i chwarae golff a stopio'r car yn rhywle a gofyn i Wyddel a oedd e'n gwybod ble roedd y clwb golff lleol. 'Cer lawr yr hewl,' medde fe, 'ac fe ddoi di at dafarn y *Blue Boar*. Wel nawr 'te, ddwy filltir cyn i ti gyrraedd yno, mae angen i ti droi i'r chwith.' Rwy'n gwybod fod yna duedd i chwerthin ar ben y Gwyddel, ond ef sy'n gall. Mae e'n gwybod yn iawn beth mae e'n ei ddweud.

*   *   *

Rwy wedi casglu cannoedd o storïau doniol ar hyd y blynyddoedd ac, yn naturiol, mae gen i fy ffefrynnau. Mae llawer o'r rheiny yn straeon gwir. Dyna i chi honno am yr hen wraig oedd yn bostio'i brwsh cans. 'Jiw,' medde hi, 'fe brynais i frwsh cans yng Nghrymych a jawch, mae e wedi bod yn frwsh da i fi. Mae e gen i ers pum mlynedd, a'r cyfan mae e wedi'i gael yn newydd yw tri phen a dwy goes.'

Mae amryw o storïau wedi codi o sefyllfaoedd wnes i eu

profi fel milfeddyg. Un o'r gorchwylion cynta ges i wedi i fi ddod 'nôl o'r coleg oedd mynd allan i gartre rhyw hen wraig fach oedd am i fi dendio'r bwdji. Roedd angen tocio ewinedd yr aderyn, ac fe wnes i hynny. 'Faint sy arna i i chi, Tomos?' medde hi.

Doedd gen i ddim syniad, felly dyma fi'n dweud y swm cynta ddaeth i mhen i. 'Jiw, dewch â hanner coron.'

'Ddyn ofnadw,' medde hi, 'hanner coron! Dim ond swllt dalais i amdano fe!'

Rwy'n hoffi'r stori hefyd am Mrs Evans, oedd yn cadw garej yn Boncath flynyddoedd maith yn ôl. Roedd ganddi hen bwmp petrol gyda'r handl yn mynd 'nôl a blaen. Fe fedra i ei gweld hi nawr yn pwmpo yn ei phlyg. Ac fe ddaeth rhyw gar mawr Americanaidd heibio ar ei ffordd i Ddinbych-y-pysgod. Rhyw *Chevrolet* mawr oedd e gyda ffenestri trydan. Fe ofynnodd y gyrrwr iddi lenwi'r tanc, a dyma Mrs Evans yn dechre pwmpo. Ar ôl pwmpo'n galed am tua dwy funud dyma hi'n sticio'i phen drwy'r ffenest ac yn gofyn i'r Americanwr, 'Excuse me, sir, but would you mind turning off the engine? I think you're gaining on me.'

Mae llawer o'r storïau sydd gen i wedi dod oddi wrth bobol go iawn. Dyna i chi Ifor Tanygroes, oedd yn casglu creaduriaid marw ac yn eu trin nhw yn ei ganolfan yn Nhanygroes. Roedd e a'i wraig Sali yn gymeriadau mawr. Er bod gan Ifor gannoedd o storïau, wnâi e ddim meddwl codi ar ei draed i'w hadrodd nhw ond petai angen stori arna i ar ryw bwnc arbennig, dim ond galw gydag Ifor oedd eisiau.

Mae'n rhaid bod Ifor wedi gwneud busnes da yn casglu cyrff defaid a gwartheg yn ei lorri fach, waeth wedyn fe aeth ati i gychwyn busnes bwyd cŵn, sef *K9*. Roedd llawer o loi bach yn marw o ddiffyg llaeth torro, neu *colostrum*. Roedden nhw'n dioddef o'r hyn sy'n cael ei alw yn *e-coli*. Sgwrio yw'r gair tafodieithol, llo bach yn sgwrio gyda'i ddom yn troi yn lliw melyn golau. Byddai'r dom yn dod trwyddyn nhw fel dŵr. Un noson roedd Ifor i lawr yn y Pentre Arms gyda'i ffrind, y Siopwr Bach yn Nhresaith ac roedd Ifor wedi prynu car newydd, *Rover*. Roedd rhyw liw melyn ar y car, a dyma un o'r bois yn dweud, 'Wel diawl, Ifor, beth yw lliw'r car 'na sy gen ti? Mae e fel dom llo bach.' Ac Ifor yn ateb, 'Gwranda, boi, oni bai am ddom llo bach fydde'r car yna ddim gen i o gwbwl.'

Roedd Nhad yn hoff iawn o'r stori honno am foi o Mynachlog-ddu, a'i frawd newydd ddod 'nôl o Ganada. 'Dwed wrtha i, Dai,' medde fe wrth ei frawd, gan siarad gyda'r twang rhyfedda, 'rwy wedi bod mas nawr yn Saskatchewan ers *twenty-five years*, fe fydd yn rhaid i ti ddod mas i weld y lle. Mae *big spread* gyda fi, cofia. Faint o ffarm sy gyda ti fan hyn, Dai?'

'O, tua deg erw ar hugen,' medde Dai.

'Faint o ddefaid sy gen ti?'

'Bwytu hanner cant. Ac wyth o dda sugno.'

'O, hanner cant, ac wyth o dda sugno? Alli di ddim mo'i galw hi'n *big spread*, Dai, alli di?'

'Na alla.'

'Dere mas y flwyddyn nesa nawr i Saskatchewan i 'ngweld i. Fe dala i am dy *flight* di. Ddangosa i i ti beth yw *big spread*. Ma'r lle sy gen i fanna mor fawr, mae'n hala dou ddiwrnod i fi fynd rownd iddi mewn *pick-up*.'

'Diawl,' medde Dai, 'wedd *pick-up* fel'na gen i unwaith.'

Mae chwarae â geiriau wedyn, a chymysgu rhwng gair Cymraeg a gair Saesneg yn siŵr o gael ymateb da. Dyna i chi honno am hen foi yn penderfynu prynu dillad isa i'w wraig ac yn mynd i'r siop. Fe ofynnodd am bâr o nicyrs a gofyn y pris. A dyma wraig y siop yn dweud, 'Mae'r pâr 'ma'n £6.65 yn cynnwys tacs.' 'O diawl,' medde'r hen foi, 'rwy'n siŵr y bydde'n well gyda hi gael lastig i'w dala nhw lan.'

Ac mae jôcs am Gardis yn boblogaidd, ac fel Cardi fy hunan dyma ddod 'nôl i bwynt wnes i ei nodi yn gynharach. Mae jocan amdanoch eich hunan neu am eich cyd-Gardis wastad yn gweithio. Roedd Nhad yn hoffi storïau gwerinol ac yn arbennig storïau am y Cardis. R'yn ni'r Cardis yn cael llawer o dynnu coes – ac r'yn ni'r Cardis yn mwynhau'r peth wrth gael ein disgrifio fel yr unig rai sy'n medru prynu oddi wrth Albanwr a gwerthu i Iddew tra'n dal i wneud elw. Fel y stori honno am rywun wedi marw ar y bỳs yn Nhregaron wedyn, a phawb yn methu deall pam fod y corff yn dal yno nes iddyn nhw weld ar ffrynt y bỳs, 'Pay as You Leave'. Ac maen nhw'n dweud na wnaiff neb brynu ffridj i'r gogledd o Aberaeron achos bod neb yno'n credu bod y golau'n mynd mas pan fyddwch chi'n cau drws y ffridj. Pam maen nhw'n dweud hynny amdanon ni?

Un arall dda yw honno am Dai a Wil a Ianto yn mynd ar y trên o Dregaron i Lundain i'r Sioe Laeth. Doedd Beeching ddim wedi cau'r lein rhwng Aberystwyth a Chaerfyrddin bryd hynny. Ar yr ochr draw i Gaerdydd fe gafodd Dai drawiad ar ei galon a bu farw. Beth oedden nhw i'w wneud ag e? Fe gostiai ffortiwn i fynd ag e adre, a ffortiwn fwy fyth i'w gladdu yn Llundain. Yr hyn wnaethon nhw oedd cadw'i gorff e ar y trên ar ei eistedd fel petai dim byd yn bod, gyda nhw ill dau yn eistedd bob ochr iddo er mwyn ei ddal i fyny. Y gobaith oedd mynd ag e 'nôl yn yr un modd ar ôl y sioe. Yn Swindon fe ddaeth doctor i mewn i'r cerbyd a phan welodd e Dai, fe aeth draw a syllu yn ei lygaid. Yna fe drodd e at y ddau arall a dweud, 'Gentlemen, this man has expired.'

'Maybe he has,' atebodd Wil, 'but his ticket hasn't.'

Mae'n rhaid i chi gofio pwy yw eich cynulleidfa. Fyddai ambell jôc ddim yn addas ar gyfer cangen o Ferched y Wawr er y gallai fod yn addas ar gyfer cynulleidfa dafarn. Does dim angen cynnwys geiriau brwnt ond mae ambell jôc sydd, hwyrach, ar yr ymylon, yn medru gweithio. Mae'n rhaid cofio hefyd bod perygl mewn bod yn rhy wleidyddol gywir.

Dyna i chi'r stori am hen foi yn mynd at y doctor, a'i fab yn ei yrru fe yno. Fe gafodd yr hen foi newydd drwg gan y doctor. Roedd problemau'r galon yn golygu mai dim ond wythnosau oedd ganddo fe ar ôl i fyw. Fe dorrodd y newydd trist i'w fab ac fe alwodd y ddau yn y dafarn leol i drafod y sefyllfa. Yno fe ddaeth hen gyfaill at yr hen foi i ofyn ei hynt. A hwnnw'n ateb iddo gael newydd drwg. Dim ond wythnosau'n unig oedd ganddo fe ar ôl. Dyma'r cyfaill yn gofyn beth oedd ei salwch. A'r hen foi yn dweud ei fod e'n dioddef o *AIDS*. Ar y ffordd adre dyma'r mab yn gofyn i'r tad pam wnaeth e ddweud celwydd? Nid *AIDS* oedd yn ei boeni ond calon wan. 'Rwy'n gwybod hynny,' medde'r hen foi, 'ond mae'r diawl yna wedi bod yn ffansïo dy fam ers blynyddoedd. Fe gaiff hi lonydd ganddo fe nawr wedi i fi fynd.'

Dyna i chi un arall am fenyw fach yn mynd i'r ysbyty, a Dai ei gŵr adre wrtho'i hunan. A dyma hi'n ffonio adre'r noson gynta. 'Shwt wyt ti, Dai?'

'O, wi'n iawn, Mari, shwt wyt ti?'

'O, wi'n falch ein bod ni wedi talu mewn i gael ward breifat, mae popeth yn grêt a'r nyrsys yn sbesial. Ond gwed wrtha i, shwt ma'r gath? '

'O, diawch, mae'r gath wedi marw.'

'O, Dai,' medde hi yn ei dagrau, 'does 'da ti ddim tact. Fel'na wyt ti wedi bod eriôd, does gen ti ddim synnwyr cyffredin. Pam na wnest ti dorri'r newydd yn ara bach, gweud bod y gath lan ar ben to, neu ei bod hi ar goll ac wedyn bod ti'n ei ffeindio hi ac wedyn ei bod hi'n sâl? Hynny yw, gweud gan bwyll bach beth oedd wedi digwydd iddi?'

'Sori, Mari, wnes i ddim meddwl.'

Dyma Mari'n ffonio drannoeth eto a dweud, 'Wi'n cael yr operation fory, Dai. Ond shwt ma pethe?'

'O, mae Mrs Jones wedi gweitho cawl i fi. Mae popeth yn iawn.'

'Shwt mae Mam?'

A Dai yn ateb, 'Mae hi lan ar ben to.'

*   *   *

Trueni mawr na fydde Nhad wedi cofnodi ei atgofion. Roedd e'n bwriadu gwneud ac mae ei nodiadau ar gael o hyd, nodiadau a chyfeiriadau dyddiadurol, ac fe fydda i'n troi atyn nhw yn aml. Un noson yn ddiweddar fe fues i wrthi'n gwagio rhai o'r droriau a dod ar draws rhywbeth roedd e wedi ei ysgrifennu. Fe wnes i ganfod hefyd ran o'r hyn roedd e wedi'i gofnodi a'i roi i Marc, crwt fy chwaer, i'w deipio a'i gadw.

Mae'r darn sy'n dilyn wedi ei gofnodi pan oedd Nhad rywbryd tua chanol ei yrfa.

Mae yna oes newydd wedi dod, oes y *satellites, electronics* a'r *hydrogen bomb,* a phellter cymdogion wedi cael ei ddiddymu. Mae hynny'n golygu bod yn rhaid i bob un ohonom ni ddod i dermau â'r oes newydd. Ac mae hyn hefyd yn rhoi cyfle newydd. Mae hyn yn dod â phroblemau bywyd, bywyd teuluol, unigrwydd; economeg a her gwyddoniaeth yn unig yw gobaith y dyfodol a hynny sydd i benderfynu sialens y dyfodol. Un peiriant yn medru gwneud gwaith cant o bobol.

Y flwyddyn ddechreuais i fel milfeddyg, 1921, ychydig iawn o obaith oedd gan ffermwr i wneud bywoliaeth oblegid pob peth y byddai ffermwr yn ei brynu, dyn arall oedd yn rhoi pris arno. A phob peth y byddai'n ei werthu, dyn arall oedd yn rhoi pris arno. Ac felly, roedd ei obaith am fywoliaeth yn wan iawn. Yr unig ffordd ddaeth y ffermwr i ben i gael dau ben llinyn ynghyd oedd drwy gael *mass production* yn ei deulu. Teulu mawr, a'r plant yn gweithio'n rhad.

Yn y dauddegau, cyn amser y marts, ffeiriau oedd y modd i werthu a phrynu, a'r porthmyn o Loegr a llefydd eraill oedd yn penderfynu'r pris. Ar ôl cyfnod hir o anobaith, daeth pelydryn o oleuni yn 1934 gyda dyfodiad y *Milk Marketing Board.* Pris y llaeth bryd hynny oedd pedair neu bum ceiniog y galwyn a deg ceiniog yn y gaeaf.

Y modur cyntaf i mi ei brynu oedd yr hen *Tin Lizzie* – Ford. Pris – cant o bunnoedd. Petrol tanc dan sedd y dreifer a'r *feed* o'r *carburettor* oedd *gravity*. Os delech chi i riw weddol, a bod eich tanc chi'n llai na hanner llawn, roedd yn rhaid mynd lan yn rifyrs. A chredwch chi fi, roedd 'na gamsters bryd hynny am fynd lan mewn rifyrs.

Y goleuni oedd lampau paraffîn, a llusernau bras, mawr yn cael eu goleuo â charbeid. Ac roedd rhaid bod yn ofalus cael y cynhwysedd iawn o ddŵr yn y carbeid. Rwy'n

cofio unwaith mynd o Fynachlog-ddu i Grymych mewn
car newydd – y car cynta, bron, yn yr ardal – a gweld un
o'r cleients yn cerdded am Grymych i'r farced â basged
drom yn ei llaw a rhyw hanner-dwsin o ffowls ac wyau.
Finne'n aros i roi reid iddi. Doedd hi erioed wedi bod
mewn modur, a dyma hi i mewn i'r car, yn eitha nerfus,
gydag un llaw yn cydio yn dynn yn yr ochr a'r llaw arall
yn dal y fasged ffowls a'r wyau. 'Rhowch y fasged ar y sêt
ôl,' medde fi wrthi. 'Fy machgen bach i, Tomos,' medde
hi, 'chi'n ddigon o foi bo chi'n rhoi reid i fi. Fe gadwa i hi
yn fy nghôl. Sdim rhaid i chi roi reid i'r fasged weth.'

Fe ddes i 'nôl yn 1965 i ddilyn rhywun fel hyn. Ac mae
James Watt yn dod i mewn i'r stori fan yma. Fe wnaeth rhywun
ofyn unwaith, pwy sydd fwya clyfar, y tad neu'r mab? Yn fy
achos i a Nhad, ro'n i'n gwybod. Dyma rywun yn ateb, fel y
byddwn i, 'Y tad sydd fwyaf clyfar.' A dyma gwestiwn arall,
'Pwy wnaeth ddyfeisio'r injan stêm?' 'Wel, James Watt wnaeth
ddyfeisio'r injan stêm.' 'Ie, ond pam na fydde'i dad wedi'i
dyfeisio hi, 'te?'
Allwch chi ddim cymharu hynny yn fy achos i, yn dod 'nôl i
ddilyn Nhad, ac yn enwedig dod 'nôl i'r un practis. Do, fe ges i
gynnig gweithio yn Llundain, ond llawfeddygaeth oedd y peth i
fi. Doedd dim digon o frêns gen i fel arall – jyst digon i basio,
falle, ond gweithio â nwylo ro'n i'n hoffi wneud. Felly 'nôl i
Aberteifi ddes i.
Roedd yn rhaid i fi brofi'n hunan. Ac rwy'n cofio'r noson
gyntaf, y ffôn yn canu am bedwar o'r gloch y bore, a'r llais
yma'n dweud, 'Tomos?'
Finne'n ateb, 'Ie.'
'Pa Tomos sy gen i nawr? Yr hen Domos neu'r Tomos
ifanc?'
'Fi, y Tomos ifanc.'
'O, fe glywais i bo chi adre, 'machgen i.'
'Ie, fi sy 'ma nawr.'

'Wel, rwy'n moyn eich tad. Mae gen i broblem gyda'r fuwch.'

'Wel, mae'n ddrwg gen i, ond fi sy ar ddyletswydd heno.'

'Gwrandwch, 'machgen i, rwy'n moyn eich tad.'

'Wel, shwd beth yw'r fuwch?'

'O, mae hi'n slabyn ryfedda.'

'Fe ddo i nawr.'

'Sai'n moyn chi, 'machgen i, rwy'n moyn eich tad. Rwy am wneud hynny'n berffaith glir i chi. Ac fe ddweda i rywbeth arall wrthoch chi, petai'ch tad-cu chi byw, fydde dim eisie'ch tad arna i chwaith.'

Teulu a Chymdeithas

Mae'r ffrindiau fyddwch chi'n wneud pan fyddwch chi'n ifanc – o gwmpas y pymtheg oed – yn dueddol o aros gyda chi. Dau o fy ffrindiau i yn Aberteifi yn y cyfnod hwnnw, yn yr ysgol a thu allan, oedd Gareth ac Alan Williams, y ddau frawd oedd yn byw yn y banc. Eu tad oedd y rheolwr. Ymhen blynyddoedd fe fyddwn i'n priodi eu chwaer, felly fe ddaeth dau ffrind yn ddau frawd-yng-nghyfraith hefyd.

Fe aeth Gareth ymlaen ei hunan i weithio mewn banc tra aeth Alan ymlaen i ddilyn cwrs economeg ym Mhrifysgol Southampton. Un arall o'r ffrindiau bore oes oedd Tony Morris a aeth i Brifysgol Abertawe i ddilyn cwrs Meteleg, neu Wyddorau Deunyddiau fel y mae'n cael ei alw erbyn hyn. Fe aeth Alan Griffiths wedyn ymlaen i fod yn gyfrifydd yn y dre ac fe aeth John Singleton i weithio yn y ganolfan awyrennau yn Aberporth ar ôl cyfnod yn y llynges fasnach. Dyna Clive Jones wedyn, a arhosodd yn yr ardal fel athro a Huw Morgan a ddaeth yn fferyllydd yn y dre. Un arall o'r criw oedd Doiran Evans, mab prifathro'r ysgol a aeth i'r coleg yn Aberystwyth cyn mynd ymlaen i fod yn athro yn Llambed. Heb anghofio fy ngwas priodas, Bernard Jones, a ddaeth yn feddyg gynacoleg ac sy'n dal yn ffrind agos.

Roedden ni'n griw o ffrindiau, yn gang, ac fe fydden ni'n cwrdd yn achlysurol – yn enwedig pan fyddai Cymru'n chwarae rygbi yng Nghaerdydd. Fe fydden ni'n ffonio'n gilydd wedyn i weld pwy oedd adre ac yna'n cwrdd yn y Trewern Arms, yr Angel yn Aberteifi a'r Three Horseshoes yng Nghenarth. Y cwrw poblogaidd bryd hynny oedd *Watneys Red Barrel*. Y cryfaf oedd *Worthington E* a'r cwrw llwyd poblogaidd oedd *Worthington M*.

Byddai cwrdd ar un noson o'r wythnos i yfed ambell i beint yn beth cyffredin. Dim sôn am gyffuriau ond byddai galwyni o gwrw yn cael eu hyfed. Ac roedd yfed a chanu yn mynd gyda'i gilydd, yn y Trewern Arms, fel arfer. Byddai'r awyrgylch yn hynod yn y Trewern, yn arbennig ar benwythnosau neu adeg y Nadolig a'r Pasg. Ac fel y bydde'r noson yn datblygu, un rownd yn dod i mewn ar ôl y llall, fe fydde rhyw deimlad yn cynyddu, y teimlad fod yna ganu i fod. Gareth, fy mrawd-yng-nghyfraith, fydde fel arfer yn sefyll ar ben stôl i arwain. Mae'n rhaid cael disgyblaeth arweinydd; does dim pwrpas mewn pawb yn pitsho mewn. 'Hoff yw'r Iesu o blant bychain', 'Robin Goch', a 'Myfanwy' os oedd yno ddigon o leisiau – dyna'r math o ganu fydde yno. Pob emyn poblogaidd wedyn, a gyda phob cân, y syched yn cynyddu. Ac ar ôl noson dda, a'r harmonïau'n taro deuddeg, fe fydde'r canu'n parhau y tu fas ar y bont. Y cantorion gorau fydde ar ôl, rhyw chwech neu saith, fel arfer.

Rwy'n amau a oedd y canu'n gwella wrth i'r cwrw lifo, ond pan fydde'r canu'n gafael, fe fydde pawb yn crynhoi, pobl leol ac ymwelwyr. Mae canu da yn gwneud hynny. Byddai'r un peth yn digwydd gyda theulu Williams yn y Cliff Hotel, neu ar ôl noson ginio'r sioe. Fe fydde ymwelwyr, yn arbennig, yn edrych yn syn. Ac roedd yr un peth yn wir am y Three Horseshoes yng Nghenarth, tafarn a gâi ei galw yn 'Peg-leg Donkey', neu'r 'Peg-leg'. Stop tap yn dod, clo ar y drws ac Alice, gwraig Sam y tafarnwr, yn cadw'r allwedd ar gyfer y toiledau rhag ofn y bydde rhywun am ateb galwad natur. Ambell waith, cnoc ar y drws. Cuddio'r gwydrau. Pwy fydde yno yn aml fydde Monty, ac eog anferth gydag e. Roedd pysgod yn dod i'r Peg-leg ar archeb. Doedd dim lle gwell am sewin, rhai ffres o'r afon, ac fe fyddwn i'n mynd ag un adre i mam-yng-nghyfraith yn aml.

Roedd Sam a Nhad wedi bod yn yr un ysgol yng Nghastell-newydd. Ffermio fuodd Sam, cyn cymryd at y dafarn gydag Alice ac roedd y ddau yn gymeriadau hynod. Dyn swil yn smocio pib oedd Sam, a'i ddannedd e'n slac. Wrth iddo chwerthin fe fydde'i ddannedd e'n siglo lan a lawr. Fe ddisgynnon nhw mas un noson, a dyma Sam yn eu codi, yn eu sychu yn ei got a'u stwffo nhw 'nôl mewn. Ond Alice oedd Canghellor y Trysorlys. Doedd dim ceiniog yn mynd ar goll.

Byddai John Singleton a Clive Jones weithiau yn edrych ar ôl y bar i Sam. Roedd John yn y Llynges Fasnachol ac yn cael amser hir adre, tua deg wythnos weithiau, ac fe fydde fe'n treulio llawer o'i amser yn edrych ar ôl y bar. Fe ofynnodd Sam iddo fe unwaith a wnâi e fynd gydag e i rasys ceffylau Pencader. Bant â nhw, ac ar y ffordd dyma Sam yn agor bocs matsys, ac ynddo fe roedd bwndel o arian papur wedi ei rolio'n fân fel bod Alice ddim yn eu gweld nhw.

Tafarnwr arall oedd yn gymeriad mawr oedd Dai Penybryn, dyn galluog iawn. Roedd e'n fecanic addawol iawn, a chafodd gynnig gwaith yn Birmingham ond fe ddewisodd aros adre i gadw tafarn Penybryn gyda Winnie. Roedd y dafarn ar y ffin â Sir Benfro. Pan agorodd y tafarndai ar ddydd Sul, fe alwodd yr heddlu amser cinio ar y dydd Sul cyntaf i Dai fod yn agored yn swyddogol.

'Odych chi'n fishi, Dai?' gofynnodd un o'r heddlu.

'Na,' medde Dai, 'ddim mor fishi â dydd Sul diwetha.'

Roedd llawer ohonon ni bryd hynny hefyd yn smocio'n drwm. Doeddwn i byth yn prynu ffags ond roedd gen i'r enw o fod yn un fyddai'n smocio ffags pobol eraill. Weithiau fe fydden ni'n mynd ar wyliau gyda'n gilydd. Unwaith fe gawson ni hen fan er mwyn mynd i Sbaen. Tony Morris, Alan Griffiths, Alan Williams a fi oedd y tu ôl i'r syniad ac fe lwyddodd Tony i berswadio dau ffrind i ddod gyda ni er mwyn helpu i dalu am y petrol. Hen fan Ifor Tan-y-groes oedd hi, hen *Bedford*. Am flynyddoedd roedd hi wedi bod yn cario cig. Yna fe aethon ni lan at Des yn Crymych a chael dwy sedd bws, a'u gosod nhw ar flocs pren yng nghefn y fan gyda matras yn y canol ar gyfer cysgu. Doedd y fan ddim yn mynd yn gyflym iawn – fe gymeron ni 30 awr i fynd o Calais i Playa de Arro yn Sbaen. Yna aros yno am bythefnos. Roedd hi'n rheol na châi'r fan ei gyrru fwy na 65 milltir yr awr, rhag ofn iddi chwythu lan. Ond wrth ddod 'nôl am Gaerfyrddin fe benderfynodd Alan Griffiths wasgu arni. Ac ar y darn syth o ffordd yn Nant y Caws, fe gyrhaeddodd 75 milltir yr awr, lawr y goriwaered a lan y rhiw'r ochr draw. Fe ddaeth yr hen fan drwyddi, ac fe aethon ni 'nôl â hi at Ifor yn ddiogel.

Yn y banc fyddwn i'n galw fynychaf gyda'r ddau frawd, Alan a Gareth a dyma sylwi bod ganddyn nhw chwaer, Elizabeth. Roedd hi'n iau na fi ond yn tyfu'n ferch bert iawn. Ac fe wnaeth y brodyr sylwi, bob tro ro'n i'n galw, fy mod i'n arafach i fynd allan gyda nhw nag y byddwn i. Yna fe wnaeth ein ffyrdd ni wahanu, fi'n mynd i Lundain a hi wedyn i Gaerdydd i wneud gradd mewn cerddoriaeth. Roedd elfen canu ynddi hi a chanddi lais contralto hyfryd ac, yn fy marn i, fe allai hi fod wedi mynd lawer ymhellach gyda'r canu. Ond roedd hi braidd yn swil yn gyhoeddus. Fe wnaeth hi dreulio blwyddyn yn Llundain yn dysgu Eidaleg cyn dychwelyd i Aberteifi. Wnaeth hi ddim ailgydio yn ei gyrfa gerddorol nes ar ôl i ni briodi.

Do, fe wnaeth Liz a fi briodi yng Nghapel Bethania gyda Bernard Jones yn was priodas i fi, meddyg wedi ymddeol erbyn hyn. Yna, wedi i'r plant dyfu'n ddigon hen fe ddechreuodd hi ddysgu cerddoriaeth yn ysgol breifat Netherwood lawr yn Saundersfoot, ac yno y buodd hi am flynyddoedd. Unwaith yr wythnos fe fydde hi'n ymarfer gyda Chôr Cenedlaethol Cymru yn y BBC yng Nghaerdydd. Felly fe gafodd brofiad hir o ganu gyda cherddorfeydd blaenllaw gan deithio ledled Ewrop gyda'r côr. Fe fydde hi'n dysgu ar ddau ddiwrnod yr wythnos, ac yna ar ddydd Mawrth fe fydde hi'n gyrru i Gaerdydd, a hynny'n gan milltir un ffordd. Weithiau, os bydde cyngherddau, fe fydde hi'n teithio yno i fyny at bedair gwaith yr wythnos. Roedd hynny'n dangos ei hoffter o ganu mewn côr a'i hymroddiad i gerddoriaeth. Roedd gyda ni *BMW 528*, ac fe wnaeth hwnnw 300,000 o filltiroedd, y rhan fwyaf o ganlyniad i'r teithio roedd hi'n ei wneud rhwng Aberteifi a Saundersfoot a'r teithiau wythnosol i Gaerdydd ac yn ôl.

Roedd Liz wedi bod yn gerddorol o'i phlentyndod. Roedd hi'n canu'r piano yn ifanc iawn ac fe ddatblygodd lais contralto hyfryd gan fy atgoffa i o Kathleen Ferrier. Roedd ganddi ansawdd llais cryf. Roedd hi yn y coleg gydag Owain Arwel

Hughes ac fe raddiodd y ddau mewn cerddoriaeth yr un pryd. Mae ganddon ni gysylltiad agos o hyd ag Owain a Jean, ei wraig.

Y côr cyntaf i Liz ymuno ag ef ar ôl dod yn ôl i Aberteifi oedd Côr Dyfed, sef côr John S Davies. A dyma'r cysylltiad cyntaf â Gŵyl Gerdd Abergwaun, rhywbeth sydd wedi bod yn ddigwyddiad pwysig yn yr ardal bob mis Gorffennaf. John Davies ddechreuodd y cyfan drwy wahodd cantorion a chorau enwog yno. Rwy'n cofio amser yng ngwesty'r Fishguard Bay, fi a George Guest a Kenneth Bowen tua thri o'r gloch y bore yn mynd i'r gegin i chwilio am rywbeth i fwyta. Dim ond tato rhost wnaethon ni ffeindio. Amser da.

Roedd côr arall gan John, un llai ond mwy arbenigol, Cantorion John S. Davies. Fe fuodd y rheiny hefyd yn canu llawer yng Ngŵyl Gerdd Abergwaun. Ar ôl hynny bu Liz yn aelod o Gôr Bach Abertawe – Bach y cyfansoddwr, nid bach o ran maint. Côr o aelodau oedd wedi graddio mewn cerddoriaeth oedd y rhain, llawer ohonyn nhw'n gerddorion o ran proffesiwn, dan arweiniad John Hugh Thomas.

O'r fan honno yr aeth hi at Gôr y BBC. Ac fe fuodd hi'n canu gyda'r BBC am ddeunaw mlynedd. Fe elwodd hi lawer o hyn. Canu yn yr Albert Hall, y Festival Hall, y Queen Elizabeth hall, ar y Cyfandir, yn Neuadd Dewi Sant, y Birmingham Symphony ac yn y blaen. Cael canu wedyn gyda cherddorion ac arweinyddion enwog. A gyda cherddorfeydd enwog. A hyn oll yn ehangu ei phrofiad. Yn sgil hyn roeddwn i'n cael mynd gyda hi a chael cwrdd â cherddorion na fyddwn wedi cyfarfod â nhw fel arall. A'r hyn wnes i ei sylweddoli oedd mai pobol fel ni oedden nhw. Dim byd yn fawreddog ynddyn nhw. Dyna sut wnes i gyfarfod gyntaf â Bryn Terfel. Ac o sgwrsio ag ef, sylweddoli gymaint oedd ganddon ni, fel pobol o'r wlad, yn gyffredin.

Roedd Liz yn dod o deulu da. Roedd ei mam, Morfudd, yn fenyw hynod o garedig. Roedd rhoddi yn rhoi llawer mwy o bleser iddi na derbyn. Roedd hi o deulu Maesgwyn, Abergwaun, a'i thad, B G Llewelyn yn ddyn parchus iawn, yn

Ustus Heddwch, Henadur ac yn y blaen a dyn blaenllaw ar Gyngor Sir Benfro. Roedd ganddi bedair chwaer a thri brawd, a phob un ohonynt yn gymeriadau yn eu gwahanol ffyrdd.

Ei gŵr, fy nhad-yng-nghyfraith, oedd E L Williams, rheolwr Banc Barclays yn Aberteifi o 1953 hyd 1962. Yn anffodus, ches i ddim cysylltiad hir ag ef gan iddo farw yn 59 mlwydd oed cyn i Elizabeth a fi briodi. Roedd e'n ddyn hoffus dros ben. Fe fu Morfudd, druan, yn byw yn hwy fel gwraig weddw nag a wnaeth fel gwraig briod, cyn marw yn 97 mlwydd oed yn 2004. Roedd hi'n edrych yr un mor brydferth ag y bu gydol ei hoes. Fe fu'n anrhydedd cael ei hadnabod.

Fel y soniais ynghynt, fe fu Liz yn dysgu cerddoriaeth am dros bymtheg mlynedd gan fynd ati, yn ogystal â dysgu, i drefnu cyngherddau a sioeau cerdd ac yn y blaen. Fe wnaeth hi ganfod y gwaith yn anodd, yn arbennig lle'r oedd dysgu bechgyn yn y cwestiwn. Mae bechgyn yn dueddol o fod yn gyndyn i ddangos eu bod nhw'n medru canu neu chwarae offeryn. Fe welais i'r peth yn digwydd ar yr aelwyd gyda James, y mab, yn llwyddo'n rhyfeddol gyda'r ffidil gan gyrraedd safon weddol uchel. Yna dyma gyrraedd y pymtheg oed a dechrau cymryd diddordeb mewn rygbi a mynd allan gyda'i ffrindiau, a rhai o'r rheiny'n edliw wrtho am ei fod e'n chwarae'r ffidil. Fe fydden nhw'n gofyn, 'Beth wnei di gyflawni drwy chwarae'r ffidil?' Ac fe ddigwyddodd yr un peth i Mathew gyda'r ffliwt. Rwy'n cofio i Mathew rannu'r ail wobr allan o tua 30 o gystadleuwyr yng Ngŵyl Fawr Aberteifi yn y cerdd dant unwaith. Ac ro'n i'n falch iawn mai'r arweinydd ar y llwyfan ar y pryd oedd Nhad. Diolch byth, mae'r ddau fab wedi cadw diddordeb. Mae ganddyn nhw glust dda. Mae gen i glust dda fy hunan, ond o ran yr ochr dechnegol, maen nhw wedi etifeddu hynny oddi wrth eu mam.

Mae cerddoriaeth yn bwysig iawn i fi. Fe ges i fy nghodi mewn awyrgylch gerddorol. Roedd Mam yn canu'r organ yn y capel. Sol-ffa ddysgodd hi, ond fe fedrai hi, o glywed tôn, chwarae'r cyfan yn ôl ar unwaith, a'r peth hawsa yn y byd ganddi oedd mynd lan neu lawr gyweirnod.

Ro'n i'n un o'r rhai a gychwynnodd Opera Teifi ac rwy wedi treulio deng mlynedd gyda'r gymdeithas honno bellach. Y syniad y tu ôl i Opera Teifi oedd rhoi cyfle i fechgyn a merched oedd wedi ymddiddori yn yr opera yn yr ysgol i barhau gyda'r diddordeb hwnnw ar ôl gadael. Mae yna draddodiad opera yn Aberteifi yn mynd yn ôl at Tom Lewis a Stan Beddows ac, yn ddiweddarach, Dafydd Wyn Jones, a aeth ati i gyfansoddi operâu.

Teimlaf fy mod wedi cael y gorau o ddau fyd. Mwynhau cymysgu a gwrando ar gerddorion rhyngwladol ac yna cymryd rhan mewn cynyrchiadau lleol. Mae llawer i'w ddweud dros gwmni opera lleol: mae yna gyffro mawr, mae e'n ddigwyddiad cymdeithasol gan ei fod e'n fwy na dim ond canu; mae'r actio, y gwisgo a'r coluro hefyd yn rhan o'r wefr.

Y perfformiad cyntaf i ni ei lwyfannu oedd *The Pirates of Penzance*. Ond wedyn fe wnaethon ni ddatblygu o Gilbert a Sullivan a nawr r'yn ni'n grŵp sy'n cynnal perfformiadau llawer mwy eang gan ddenu mwy a mwy o bobol ifanc i mewn.

Ydi, mae cerddoriaeth yn bwysig iawn i fi, er nad ydw i'n honni bod yn rhyw gerddor mawr. Tair ar hugain oedd Elizabeth pan wnaethon ni briodi a hwyrach mai hynny fu'n gyfrifol am iddi golli'r cyfle i hyfforddi mwy ar ei llais. Nid diffyg dawn oedd yn gyfrifol oherwydd roedd ganddi'r dalent, heb unrhyw amheuaeth.

Ond dod 'nôl i Aberteifi wnaeth hi i fod yn wraig i filfeddyg. Heddiw mae pobol yn dueddol o fyw gyda'i gilydd am flynyddoedd cyn priodi a dechrau cael plant pan fydd y wraig, efallai, ymhell dros ei deg ar hugain. Yn ein hachos ni, fe anwyd y mab hynaf, James, yn 1968. Roedden ni'n byw mewn byngalo o'r enw Wen-don yn Gwbert bryd hynny, ac yn ei rentu oddi wrth Dewi Nicholas am tua £5 yr wythnos. Roedd Gwbert yn lle hyfryd i fyw ynddo. Yno gallai'r tywydd fod mor wahanol; ambell fore fe fyddwn i'n codi a'r môr yn gynddeiriog. Ar fore arall fe fydde fe fel llyn hwyaid.

Mae gan Gwbert le cynnes iawn yn ein cof. Fe fyddwn i'n teithio i mewn i Aberteifi ddwy filltir bob bore i 'ngwaith.

Wedyn, ar ôl sawl blwyddyn yn byw yno fe aethon ni 'nôl fel teulu i Benrallt-ddu. Yno y magwyd y plant, ac fe'u haddysgwyd yn Ysgol Gynradd Aberteifi lle roedd Alun Tegryn Davies yn brifathro. Am ei fod e mor awyddus i gael disgyblaeth, roedd rhai o'r plant yn ei alw yn Alun Teiger Davies. Roedd e'n brifathro arbennig iawn a oedd yn ennyn parchedig ofn. Trueni na fyddai mwy o rai tebyg iddo yn y byd addysg heddiw.

Fe addysgwyd y plant drwy gyfrwng y Gymraeg, ac fe fydden nhw'n mynd yn rheolaidd hefyd i'r Ysgol Sul ym Methania a'u codi a'u hyfforddi yn y ffordd draddodiadol Gymraeg. A Chymraeg oedd iaith yr aelwyd. Er mai Saesneg fyddai Liz a finne'n ei siarad â'n gilydd ar y dechrau – dyna oedd iaith yr aelwyd yn ei chartref hi – fe wnaethon ni benderfynu bod y plant yn cael eu codi'n Gymry Cymraeg. Mae yna duedd, os mai Saesneg yw iaith y fam, bod y plant yn dueddol o gael eu codi i siarad Saesneg hefyd gan golli'r iaith Gymraeg.

Saesneg fydde fy nhad a'm mam-yng-nghyfraith yn siarad â'i gilydd er eu bod nhw'n Gymry Cymraeg. Mae hynny yn wir am lawer o bobl y cyfnod. A dyna pam mai Saesneg fyddai'r wraig a finne'n siarad â'n gilydd fel arfer. Ond roedd hi'n bwysig i ni fod y plant yn cael eu codi yn sŵn y Gymraeg, yn enwedig o gwmpas y bwrdd brecwast. Rwy'n un sy'n credu bod cymdeithasu o gwmpas y bwrdd bwyd yn bwysig iawn, rhywbeth sydd wedi mynd ar goll mewn llawer o gartrefi heddiw.

*   *   *

Pan oedd y plant yn fach fe ddechreuodd y Mudiad Ysgolion Meithrin. Ac fe fu'r wraig a finne'n gysylltiedig â'r gangen leol, yn wir, ymhlith y rhai cyntaf i gefnogi addysg feithrin Gymraeg yn Aberteifi. Fe wnaeth hyn ysgogi nifer o rieni di-Gymraeg i ddanfon eu plant yno a thrwy hynny sicrhau bod eu plant yn siarad Cymraeg. Fe ddigwyddodd hynny i nifer o ffermwyr

Saesneg oedd yn gwsmeriaid i ni. Hyd yn oed bryd hynny, roedd rhai o'r hen gymeriadau bron iawn yn uniaith Gymraeg ac yn ei chael hi'n anodd siarad Saesneg.

Rwy'n cofio Griff Blaengafren yn dweud wrtha i am fachan oedd yn byw yn ardal Eglwyswrw, a Sais wedi dod i ffermio wrth ei ymyl, un nad oedd ganddo lawer iawn o offer na pheiriannau. Roedd hwn, chwarae teg, wedi integreiddio ac yn helpu tipyn ar yr hen foi yma adeg y cynhaeaf gwair a llafur ac ati. Roedd yr hen Gymro yn eitha crintachlyd, ddim yn barod iawn i roi benthyg unrhyw beth i unrhyw un. Ac fe aeth y Sais draw un diwrnod a gofyn am fenthyg y peiriant troi gwair. Yr hyn roedd yr hen foi am ei ddweud oedd, 'Wel, gan mai ti wyt ti, fe gei di ei fenthyg e.' Ond yr hyn ddaeth allan oedd, 'Well, since it is you that it is that is it, I will lend you the offeryn.' Dyna un arall wedyn yn dweud wrth ryw Sais, 'There's a lot of saw in the river.' Dweud roedd e bod llif yn yr afon. Un arall wedyn yn taflu dart am y dwbwl-top, a rhyw Sais yn gofyn iddo a oedd e'n hyderus y gwnâi e ei hitio? 'Of course,' medde fe, 'do you think I'm black or something?' Gofyn roedd e a oedd y Sais yn meddwl ei fod e'n ddall, neu, mewn tafodiaith, yn dywyll.

Enghraifft arall wedyn yw honno pan oedd Sais am fynd fyny i ben y to a'r hen foi oedd yn gymydog iddo am ddweud na fedrai fynd fyny heb ysgol. Ond y geiriau ddaeth allan oedd, 'You won't go up there, my boy, not without a school.'

Yn anffodus r'yn ni'n dueddol o chwerthin am ben pobol fel'na. Ond pam ddylen ni? Petai pob mewnfudwr yn mynd i'r drafferth o ddysgu Cymraeg i'r graddau mae'r bobol hyn wedi dysgu Saesneg, fe fydde'r iaith gymaint â hynny'n gryfach.

I mi, nid oherwydd ei bod hi'n ddyletswydd arnom i siarad ein hiaith y mae'r Gymraeg yn bwysig. Na, mae 'na reswm arall sy'n swnio'n rhamantaidd a hen ffasiwn, hwyrach: mae yna rai geiriau yn y Gymraeg sy'n drysorau ynddynt eu hunain, geiriau sy'n rholio oddi ar y tafod ac sy'n creu rhyw fath o hud. Rhagluniaeth. Sancteiddrwydd. Hiraeth. Ac enwau lleoedd wedyn, fel Rhydcymerau a Chwmdwyfran. Heb wybod yr iaith fydden nhw'n golygu dim.

Yn ogystal â'r Mudiad Ysgolion Meithrin, achos da arall y bu'r wraig a finne'n gysylltiedig ag ef oedd mudiad Ffrindiau Cerddorion Ifainc Ceredigion. Roedd offerynnau cerdd yn bethau prin iawn ar gyfer ysgolion ac fe aethon ni ati i godi arian er mwyn prynu offerynnau i ddisgyblion oedd yn gerddorol eu natur. Erbyn hyn rwy'n hynod falch bod plant heddiw yn cael eu meithrin o oedran ifanc iawn i fod yn gerddorion. Yn hyn o beth mae Sir Forgannwg yn arbennig o oleuedig, ac ar y blaen gyda nhw mae Sir Benfro a Cheredigion.

Yn ystod y cyfnod hwn fe ddaethon ni'n ffrindiau ag Islwyn Williams, gynt o Ffynnonddofn, Trefdraeth, oedd yn helpu Dewi James i redeg siop cigydd yn Heol y Gogledd. Roedd gyda ni gar *Lotus Elan* ar y pryd ac roedd e'n gar drud yn y dyddiau hynny – fe gostiodd e fil o bunnau yn newydd pan brynais i fe yng Nghaerdydd. Un bach gwyrdd oedd e gyda streipen felen ar hyd ei ganol. Rwy'n cofio'i rif e, KTG 8D. Un diwrnod roedd Liz yn gyrru'r car heibio i siop y cigydd, a phwy oedd yn digwydd bod yno gydag Islwyn ond Gareth, brawd Liz. Ac wrth iddi basio, dyma Islwyn yn dweud wrth Gareth, 'O, dyna wraig Dic y Fet yn mynd heibio.'

'Beth wyt ti'n feddwl, gwraig Dic y Fet,' medde Gareth. 'Fy chwaer i yw honna.' A dyma ddechre siarad am waith Gareth yn y banc ac yn y blaen. Diwedd y gân fu i Gareth ei wahodd i ymuno â ni'r noson honno yn y *Three Horseshoes* yng Nghenarth – ac aros yno'n hwyr iawn. Ac ar y noson arbennig hon fe wnaeth Islwyn a'i wraig Stephanie ymuno â ni. Wedyn fe agorodd Stephanie siop ddillad yn Stryd y Priordy, gyferbyn â'n meddygfa ni ac fe ddaeth hi a Liz yn ffrindiau mawr ac fe fuodd hynny'n help mawr pan oedd y plant yn fach.

Yna, yn y saithdegau, fe benderfynon nhw, gyda Keith ac Yvonne Evans, godi eu gwreiddiau a mynd i fyw i Ganada, i Calgary. Yn wir, ni aeth â nhw i Faes Awyr Gatwick i ddal yr awyren. Yn anffodus fe fu farw Islwyn o'r cancr yn 1988 ond mae Stephanie a'r plant yno o hyd ac fe fyddwn ni'n mynd allan i'w gweld nhw yn aml a nhw'n dod i'n gweld ni yn Aberteifi. Rwy'n dad bedydd i'r ferch ieuengaf, Philippa, a bu'n fraint i Liz a minnau dderbyn gwahoddiad i'w phriodas â Darryl, yn Ynysoedd Cook – a hynny wedi i ni fod ar ein gwyliau gyda'i mam yn Seland Newydd!

*   *   *

Fe aeth ein plant ni, James a Mathew, yn eu blaen i Ysgol Uwchradd Aberteifi. Ac un diwrnod dyma Mathew yn gofyn i'w fam a oedd hi'n sylweddoli mai hi oedd yr unig un ohonon ni'n pedwar i basio Lefel A ar y cynnig cyntaf. Fe gofiwch y bu'n rhaid i fi fynd 'nôl i ailsefyll Lefel A. Pwdryn oeddwn i, heb lawer o dalent. Ac fe ddigwyddodd yr un peth yn hanes y ddau grwt, sef gorfod ailsefyll. Ond yn eu hachos nhw, fe wnaethon nhw ail-wneud yn dda. Fe aeth James ymlaen i *Kings College* yn Llundain i astudio Cemeg gan ddod allan â gradd, ac mae ganddo fe swydd dda gyda chwmni *Pfizer* yn Llundain ac mae wrth ei fodd yn yr adran werthiant. Bu Mathew yn byw i raddau yng nghysgod ei frawd, er ei fod e'n wahanol i James. Bachan rygbi oedd James na fydde'n tynnu fawr o sylw ato'i hunan, a hyd yn oed mewn rygbi, fe fydde'n well ganddo fe basio'r bêl i rywun arall er yn aml bod gwell cyfle gydag e. Roedd e'n hoff o fod mewn cwmni ac yn rhan o grwpiau cymdeithasol yn yr ysgol, fel yr opera.

Ond roedd Mathew wastad yn wahanol. Ambell waith roedd e'n mynd i fod yn bysgotwr. Weithiau roedd e'n mynd i fod yn rhywbeth arall. Ond mae e'n dal i edliw i fi na wnes i fynd ag e allan i bysgota. Yn anffodus, doedd gen i ddim o'r amser. A dyna un peth rwy'n difaru, y ffaith na lwyddais i, oherwydd gwaith, i roi digon o amser i'r bechgyn. Do, fe gawson ni wyliau hir bob blwyddyn yn sgïo a mwynhau ein hunain, ond wnes i ddim treulio digon o amser yn eu cwmni nhw yn gwneud y pethe bach bob dydd. Ac yn anffodus, un cyfle gewch chi mewn bywyd. Chewch chi ddim o'r amser 'nôl i wneud iawn am yr hyn na wnaethoch chi. Arbenigedd Mathew oedd awyrennau. Fe fydde fe'n mynd yn aml yn ei arddegau cynnar ar y trên o Glunderwen i feysydd awyr Caerdydd, Gatwick neu Heathrow, dim ond i weld awyrennau. Ac roedd e'n benderfynol mai peilot roedd e'n mynd i fod – ac fe wireddodd ei freuddwyd; peilot ydi e.

Doedd gan James, ar y llaw arall, ddim llawer o glem o gwbwl beth roedd e am fod. Ar ôl iddo fe ailsefyll ei Lefel A a chael graddau da, rwy'n cofio mynd ag e o gwmpas i weld beth hoffai e wneud wedyn. Doedd e ddim yn gwybod beth roedd e am wneud. Doedd e ddim eisiau bod yn filfeddyg. Roedd e a Mathew wedi bod gyda fi ar fy rownds, ac yn lladd-dy Tan-y-groes yn arbennig, lle roedd cymaint o ddrewdod fel eu bod nhw'n eistedd yn y car yn dal eu trwynau. Felly, doedd bod yn filfeddyg ddim yn ddewis i'r naill na'r llall.

Roedd Liz wedi gweithio mor galed yn annog James wrth iddo ailsefyll, ac wedi bod wrthi yn chwilio am goleg iddo – roedd ganddon ni dri mewn golwg, Warwick, Llundain a Chaer-wysg – a ffwrdd â ni. Yng Nghaer-wysg fe benderfynodd nag oedd e'n hoffi gwynt labordai cemeg! Ond ymlaen â ni i Lundain, lle dywedwyd eu bod nhw'n barod i'w dderbyn. Ac o fynd yno, fe fu wrth ei fodd, yn ymuno yn y bywyd cymdeithasol, yn arbennig y rygbi.

Ond roedd Mathew yn wahanol. Wedi ailsefyll yn y Coleg Newydd yng Nghaerdydd, a chael graddau da, fe benderfynodd wneud Daearyddiaeth a chael ei dderbyn i'r *LSE* yn Llundain. Unwaith eto dyma'r meibion yn dilyn y tad, y ddau mewn colegau yn Llundain wedi i fi fy hun fod mewn un yno. Doedd Mathew ddim yn awyddus i weithio'n galed ond fe wnaeth ymdrech yn ei flwyddyn olaf. Fe gafodd radd 2.1, ac roedd hynny'n ddigon iddo fynd ymlaen i wneud ei brif radd mewn Rheolaeth Trafnidiaeth Awyr. Ar ôl ennill ei MSc yn Cranfield fe weithiodd gyda chwmni *Bowrings International* yn Llundain am flwyddyn yn y gobaith o fynd ymlaen i weithio i *British Airways*, *Lufthansa* neu gwmni tebyg. Ac ar ôl llawer iawn o ddyfalbarhad, fe gafodd ei dderbyn gan *British Midland Airways* am flwyddyn yn Kidlington yn Rhydychen i dderbyn hyfforddiant i fod yn beilot. A dyna beth yw ei waith e o hyd, peilot ar awyrennau cludiant pell *Airbus* i Chicago a Washington. Mae e bellach yn Brif Uwch Swyddog a chanddo obaith cyn hir o fod yn gapten.

Mae profiad Mathew fel peilot wedi ychwanegu at fy storïau doniol gan roi maes gwahanol i fi o ran hiwmor. Rwy'n gwneud pwynt nawr o nodi ambell i stori ddoniol a wela i mewn cylchgronau awyrennau. Fe welais i un am ryw fenyw fach, yn dilyn taith arw iawn, a'r awyren yn cael ei chwythu i bob cyfeiriad, yn gofyn i un o'r stiwardesau yn Heathrow, 'Esgusodwch fi, cariad, a wnaethon ni lanio'n naturiol neu a gawson ni'n saethu lawr?'

Dro arall roedd peilot *Jumbo* yn dod i mewn i faes awyr Chicago yn rhy gyflym, ac yn ddiarwybod wedi gadael y system sain ymlaen. Meddyliwch am deimladau'r teithwyr o glywed y peilot yn gweiddi ar ei awyren ei hunan, 'Woa, big boy! Woa!' Rwy'n falch nad o'n i'n deithiwr ar honno.

Y tro cynta i fi hedfan gyda Mathew yn beilot oedd ar daith fer i Glasgow mewn 737. Dim ond ei ail flwyddyn o hedfan oedd hi. Fe ddaeth stiwardes at Liz a gofyn iddi a hoffai hi eistedd yn y caban gyda Mathew, ac fe wnaeth hi. Yn y cyfamser dyma fi, fel tad balch, yn dweud wrth fachan oedd yn eistedd gerllaw. 'Fy mab i sy'n hedfan yr awyren yma.' Yna fe ddaeth llais Mathew dros y system sain yn esbonio hyd y daith ac yn y blaen. A dyma fi'n dweud wrth y bachan. 'Mae e'n ddyslecsig ac yn ddall i liwiau, ond ar wahân i hynny mae e'n iawn.' Doedd y bachan ddim yn siŵr a ddylai e chwerthin neu grio.

Mae yna stori am ddau Wyddel mewn awyren, ac un o injans yr awyren yn methu a'r peilot yn dweud, 'Foneddigion a boneddigesau, mae un o'n injans wedi methu. Ond peidiwch â gofidio, mae'r injan arall yn iawn.' A dyma un o'r Gwyddelod yn dweud wrth y llall, 'Gobeithio, er mwyn Duw, na wnaiff honno fethu hefyd, neu fe fyddwn ni lan fan hyn drwy'r nos.'

Fe alla i fod yn fodlon iawn gyda llwyddiant y ddau fab, felly, am iddyn nhw wneud yr hyn roedden nhw am ei wneud, ac am weithio'n galed yn eu ffyrdd eu hunain i gyrraedd lle maen nhw. Ac rwy'n falch o'r cymorth gawson nhw – gan eu mam, yn arbennig – o ddyddiau ysgol ymlaen yn eu gyrfaoedd. Mae ganddyn nhw swyddi da, a dwi'n falch ohonynt.

*   *   *

Fe gerddais i mas o'r practis ar ddiwrnod olaf yr hen fileniwm. Cyd-ddigwyddiad llwyr oedd hynny. Ro'n i wastad wedi meddwl y byddai llwyddo i fod yn filfeddyg yn beth anodd. Wnes i ddim breuddwydio y gwnawn i raddio o'r coleg a dod yn MRCVS. Fe wnaeth rhywun ofyn i fi unwaith beth oedd ystyr MRCVS. Yr ateb rois i oedd, 'Mae'n Rhaid Cael Vet Sobor'. Yr ystyr iawn, wrth gwrs, yw *Member of the Royal College of Veterinary Surgeons*, ac rwy'n teimlo ei bod hi'n anrhydedd cael bod yn rhan o'r criw dethol hwnnw. Rwy'n gobeithio i fi barchu'r anrhydedd hwnnw yn fy ngwaith; dydw i ddim yn teimlo i fi fradu'r anrhydedd.

Ar ben talar fel hyn, peth hawdd yw edrych yn ôl. Ond edrych ymlaen sy'n bwysig, a hynny'n optimistaidd. Sy'n fy atgoffa i o stori am hen foi oedd wastad yn dweud, 'Fe allai fod yn waeth.' Doedd dim gwahaniaeth pa mor ddrwg roedd pethau, ei ymateb e bob tro fyddai, 'Fe allai fod yn waeth.' Un diwrnod dyma'r gwas yn dweud wrtho, 'Glywest ti am Wil drws nesa? Wel, fe ddaeth gartre ac mi ffeindiodd ei wraig yn y gwely gyda'r postmon. Fe saethodd e'i wraig a'r postmon. Ac wedyn fe saethodd ei hunan.' 'Jawch,' medde'r ffermwr, 'fe alle fod yn waeth.' 'Sut hynny?' gofynnodd y gwas. 'Wel,' medde'r ffermwr, 'We'n i gyda hi llynedd.'

Fe wnes i feddwl llawer yn ystod y blynyddoedd cyn rhoi'r gorau iddi sut fyddwn i'n teimlo wrth ymddeol. Ond fe wnes i fynd heb unrhyw ffws na ffwdan. Yn wir, rwy'n amau bod yna lawer nad ydyn nhw wedi sylweddoli fy mod i wedi mynd. Mae rhywun yn dueddol o deimlo ei fod e'n chwarae rhan mor bwysig yn ei swydd fel y byddai'n gadael rhyw fwlch mawr ar ei ôl. Wn i ddim sawl ffermwr wnaeth ddweud wrtha i, 'Pan ewch chi, Tomos, dyw'r practis yma ddim yn mynd i fod yr un fath.' Ond fe ddwedon nhw union yr un peth wrth fy nhad. A dweud y gwir, dw i ddim yn meddwl bod dim wedi newid. Yn y diwedd d'yn ni'n neb, ac yn y diwedd, fe aiff pethe ymlaen hebddon ni, a hynny, efallai, yn well nag oedden nhw. R'yn ni i gyd yn dueddol o feddwl ein bod ni'n bwysicach nag ydyn ni. Ond na, llwch i'r llwch a phridd i'r pridd fyddwn ni i gyd.

Wn i ddim sawl un dw i wedi eu cyfarfod sydd wedi ymddeol ac sydd wedi dweud eu bod nhw'n brysurach wedyn nag oedden nhw pan oedden nhw'n gweithio. Mae hynna yn fy ngwneud i'n grac. Os yw hynny'n wir, beth yw'r pwynt ymddeol yn y lle cyntaf?

Un peth rwy'n sicr ohono wrth edrych yn ôl ar fy ngyrfa yw mai proffesiwn yw milfeddygaeth ac mai swyddogaeth milfeddyg yw tendio creadur sy'n dioddef. Ond mae'n fwy na hynny. Dyletswydd – yn wir, anrhydedd – milfeddyg yw tendio creaduriaid. Mae rhai yn edliw bod creaduriaid yn cael eu trin yn well na phobol. Maen nhw'n tynnu sylw at blant bach sy'n cael cam. Hwyrach bod gwir yn hynny o beth ond yr ateb yw nid peidio â thrin creaduriaid ond yn hytrach trin pobol a phlant yn well.

*　　　*　　　*

Mae Liz a fi'n ffodus ein bod ni'n ymddiddori mewn gwahanol weithgareddau. Mae'r ddau ohonon ni'n chwarae golff gyda'n gilydd, er bod Liz yn llawer gwell na fi. Mae cerddoriaeth, wrth gwrs, yn bwysig i'r ddau ohonon ni. A pheth arall sydd wedi dod â llawer o fwynhad i ni wedi i mi ymddeol yw mynd allan mewn cwch pysgota. Fe brynais i gwch bach o'r enw *Jessica*, cwch bach melyn. Byddwn ni'n mynd â hi i'r traeth rhwng Trefdraeth ac Abergwaun ac allan â ni â bwyd gyda ni i bysgota mecryll a'u ffrio nhw ar y cwch. Does dim yn well na glanio ar rai o'r traethau bach diarffordd sydd ar yr arfordir. Yno mae modd gweld morloi a llamhidyddion, a natur ar ei orau.

Mae cerdded a beicio wedi dod yn rhan o'n bywyd ni hefyd, yn enwedig ar hyd llwybr yr arfordir yn Sir Benfro. Ac un diddordeb wnes i gydio ynddo ychydig cyn i fi ymddeol oedd motor-beics. Mae rhai siŵr o fod yn meddwl nad ydw i ddim yn gall yn cymryd at y fath beth yn fy oedran i, a hynny oherwydd y perygl. Ond dyna fe, dwl hen yw'r dwl dwla. Mae'n wir fod yna berygl mawr mewn reidio motor-beics. Mae'r un sydd gen i yn medru cyrraedd 60 milltir yr awr o fewn pedair eiliad gan fynd i uchafbwynt cyflymdra o 150 milltir yr awr. Mae e'n feic anferth, *Kawasaki ZZR 600 Sports*.

Gareth, fy mrawd-yng-nghyfraith roddodd y syniad yn fy mhen. Mae ef hefyd yn dwlu ar fotor-beics. A rhaid cyfaddef, pan fydda i'n sôn wrth Liz am fotor-beics dyw hi ddim am wybod. Mae hynny'n drueni gan y byddwn i wrth fy modd petai hi'n dod gyda fi. Cofiwch, fe ges i grys-T yn anrheg gan fy chwaer-yng-nghyfraith rhyw dro, a'r ysgrifen ar y cefn yn dweud 'If you can read this, my wife has fallen off'! Rwy wedi bod erbyn hyn ar y motor-beic i lawr drwy Sbaen, drwy Iwerddon, i Ynys Skye. Mae reidio motor-beic ar ddiwrnod hyfryd yn brofiad na wnâi neb ei gredu os nad ydyn nhw wedi ei brofi. Mae e'n bleser pur. Mae pobol yn dueddol o feddwl am yr ochr negyddol ac, ar y dechrau, rown i'n ofnus fy hun. Ond mae'n rhaid i chi sylweddoli y gall unrhyw beth ddigwydd, ac os gwnewch chi daro yn erbyn rhywbeth pan fyddwch chi ar fotor-beic, yna mae yna wir berygl i'ch bywyd.

Yn wir, fe fethais i'r prawf gyrru motor-beic ddwywaith. Y tro cynta fe wnes i bron iawn â tharo rhywun oedd yn croesi'r groesfan sebra. Ac yn yr ail brawf fe wnes i droi yn rhy gynnar. Y gwir reswm dros y ddau fethiant oedd diffyg digon o hunanhyder. Ond wedi i fi basio'r prawf, rwy'n edrych ar y profiad fel y peth mwyaf ofnus i fi ei wneud erioed – gwaeth nag arholiadau milfeddygol. Troi ar ganol y ffordd heb osod eich traed ar y ffordd fawr, er enghraifft. Y defnydd iawn o'r clytsh a'r brêc wedyn. Mae angen disgyblaeth aruthrol.

Erbyn y trydydd tro ro'n i wedi cael llawer o brofiad ac yn teimlo'n ddigon hyderus – ac fe wnes i basio. Yna, ar ôl defnyddio motor-beic benthyg, fe wnes i fynd ati i brynu un fy hunan. Ro'n i wedi gweld yr union fotor-beic ro'n i'n ffansïo, y

Kawasaki. Fe ges i bob math o gynghorion gan fy mrawd-yng-nghyfraith ar y dillad iawn i'w prynu, yr helmed, y got a'r trowser. Ac roedd ganddo fe gyfaill profiadol iawn o Dreforus, Neville Browning, a oedd hefyd yn fecanydd a allai adeiladu ei fotor-beics ei hunan. Gan wrando ar gyngor y ddau fe es i i Abertawe i ddewis beic oedd yn addas i fi. Un byr ydw i. Pan nad oes ganddoch chi ond 29 modfedd o 'inside leg' fedrwch chi ddim cael beic uchel. Rhaid i chi fedru eistedd yn gysurus ar y beic gyda'ch dwy droed ar y llawr. Fel ym mhopeth mewn bywyd, rhaid i chi gael eich traed ar y ddaear.

Beic lliw du ac arian oedd e ac anghofia i byth mo'r ddau gyfaill yn dweud wrtha i am ei chychwyn hi 'nôl am Aberteifi, y tro cynta erioed i fi yrru fy meic fy hunan. Fe wnes i amcangyfrif y cymerai tuag awr i fi o Abertawe i Aberteifi mewn car. Ond fe gymerodd awr a hanner i fi ar y motor-beic. Sôn am ofn! Fe arhosais i ym Mhont Abram ac wrth fynd allan i fyny'r rhiw am Cross Hands roedd lorri fawr Dylan Thomas o Genarth gyda chraen ar ei chefn o 'mlaen i. Fe ddilynais honno am tua dwy filltir. Doedd gen i ddim hyder i basio.

Ond mae rhywun yn magu profiad. Mae gen i fy nhrydydd beic nawr. Fe wnaeth y cynta tua deng mil o filltiroedd, yr ail tuag wyth ac mae'r un presennol wedi gwneud tua phump.

Y gwahaniaeth mawr rhwng gyrru motor-beic a char modur yw na feiddiwch chi ddim edrych 'nôl ar fotor-beic gan y bydd yna ryw dwpsyn o'ch blaen chi yn dueddol o agor drws y car neu droi heb eich gweld chi. Ac mae'r rhan fwyaf o ddamweiniau motor-beic yn cael eu hachosi gan yrwyr eraill mewn ceir, gyrwyr sydd ddim yn edrych, ddim yn sylwi. D'ych chi ddim yn ddiogel chwaith os oes yna olew ar y ffordd, neu raean neu ddom da. Ac mae 'na ddigon o hwnnw. Mae'n rhaid sylwi ar bopeth. A pheidiwch byth ag anghofio'r pŵer anferth sydd yn eich meddiant.

Ond o reidio motor-beic yn iawn mae yna hwyl aruthrol. Mynd i Sbaen, er enghraifft, tri neu bedwar ohonon ni. Aros fan hyn a fan draw am lasied bach o win. Cysgu'r nos mewn motel a chloi'r beic yn saff y tu allan. Allan am bryd o fwyd. A bant wedyn y bore nesaf gan wneud rhyw dri neu bedwar can milltir y dydd. Mae hyd yn oed croesi ar y fferi yn medru bod yn hwyl, bwyta ar y llong a rhannu hanesion. A heddiw, hyd yn oed mewn tywydd gwael, mae'r dillad mor gynnes a chysurus.

Diddordeb arall yw trin y ddwy neu dair erw o dir sydd gen i: cadw'r lle yn gymen, trasio a defnyddio'r tractor i wneud gwahanol weithgareddau. Hefyd mae ganddon ni ffrindiau sydd â'u llefydd eu hunain ar y cyfandir y byddwn i'n ymweld â nhw.

Peth arall dw i wedi bod yn ei wneud ers i fi ymddeol yw mynd o gwmpas ffermydd ar ran *Farm Assurance*. Mae hynny'n caniatáu i fi ddal gafael mewn amaethyddiaeth. Pwrpas *Farm Assurance* yw sicrhau bod gwraig y tŷ, y siopau a'r archfarchnadoedd yn cael y cynnyrch sydd o'r safon uchaf. Mae gofyn edrych ar olrheiniad, er mwyn gweld o ble mae'r cynhyrchion yn dod a sicrhau nad ydyn nhw'n cael eu gwerthu cyn i gyffuriau ddiflannu o'r cig, Mae gan bob un o'r cyffuriau hyn sy'n cael eu defnyddio amserlen ciliad, hynny yw, yr amser a gymer i'r cyffuriau a roddir i greadur, a allai effeithio ar y rhai sy'n bwyta'r cig, ddiflannu o gorff y creadur. Fe all hyn amrywio o rhwng wyth niwrnod i ugain niwrnod, hyd yn oed fis. Does dim hawl gwerthu'r cynnyrch ar y farchnad cyn i'r amser hyn ddod i ben. Hefyd fe fyddwn i'n sicrhau bod y creaduriaid yn cael eu trin a'u magu yn y ffordd orau. Mae angen creadur bodlon i besgi'n dda ac i droi porthiant yn gig. Ond mae'r ffermwyr yn dueddol o godi'r cwestiwn, wrth i ni geisio sicrhau'r safon orau bosib, pam mae pob math ar gynnyrch yn cael ei fewnforio?

Hefyd, peth arall sy'n codi yw'r sylweddoliad, o ddyddiau Margaret Thatcher, fod oes bois y gweithiau glo a bois y gweithfeydd dur, llawer o ffatrïoedd a'r Undebau Llafur wedi dod i ben. A'r cwestiwn sy'n poeni ffermwyr yw, a yw'r Llywodraeth Lafur nawr yn ceisio lladd y diwydiant amaethyddol? Mae'n ymddangos nad oes gan y Prif Weinidog a'i Gabinet lawer o gewc at yr hyn mae ffermwyr yn ei wneud. Mae hynny'n drueni gan fod ffermwyr, a phobl y wlad yn gyffredinol, yn rhoi llawer o elw ym mhoced pobol eraill. Meddyliwch am ffermwr yn prynu tractor neu beiriannau ac offer arall. Mae'n rhaid i'r rhain gael eu cynhyrchu, eu peintio a'u marchnata gan rywun. Y ffermwr yw'r un sydd ar ddiwedd y lein yn gwneud y prynu. Yn anffodus, rhywun arall sy'n rheoli'r hyn maen nhw'n ei brynu. A rhywun arall hefyd – yr archfarchnadoedd – sy'n rheoli pris yr hyn maen nhw'n ei werthu. Erbyn hyn mae rheolau wedi mynd yn rhemp ac mae'n amlwg bod yr amgylchedd yn bwysicach nawr na'r creaduriaid sy'n byw yn yr amgylchedd hwnnw.

* * *

Mae ffermio erbyn heddiw, wrth gwrs, yn cael ei reoli gan fiwrocratiaeth ac mae yna bwysau mawr ar ffermwyr. Mae pob un yn galw arnyn nhw, bois y Bwrdd Dŵr, bois yr Amgylchedd, bois y llaeth, bois y bîff, bois y defaid gyda'u holl reolau. Chewch chi ddim gwneud hyn, chewch chi ddim gwneud hynna. Hyd yn oed ers i fi ymddeol mae'r rheolau wedi cynyddu'n fawr. Mae'r ffermwyr yn credu mai dull i gael gwared ar fwy a mwy o greaduriaid yw hyn gan roi mwy a mwy o bwyslais ar yr agwedd amgylcheddol a throi cefn gwlad yn barc natur i gerddwyr a gwylwyr adar a phobol debyg, a hynny ar draul ffermio.

Ac eto, mae cael safonau'n dal yn hollbwysig er mwyn sicrhau bod ffermwyr yn cynhyrchu llaeth a chig – unrhyw gynnyrch fferm – o'r safon iawn, safon sy'n gwneud y cynnyrch yn ddiogel i'w fwyta. Mae hynny'n arbennig o bwysig nawr wrth i fwy a mwy droi at gynnyrch organig, a'r peth syfrdanol yw bod y newidiadau hyn wedi digwydd o fewn cyfnod mor fyr.

Mae'n fy nhristáu bod Nhad heb ddod i ben â chyhoeddi ei hunangofiant, ond yn ei nodiadau mae e'n nodi datblygiadau pwysig yn ystod y dau a'r tridegau. Yn eu plith mae awgrymiadau ganddo o'r hyn a ddylai ddigwydd yn y byd amaethyddol – yn cynnwys yr angen am Fwrdd Marchnata Llaeth a Bwrdd Marchnata Cig Eidion. Y rhannau mwyaf diddorol, hwyrach, yw'r rheiny lle mae'n sôn am ei waith arloesol gyda hadiad artiffisial, neu'r *AI*. Mae'n werth dyfynnu rhan o'r nodiadau:

1938. Teimlais awydd i wella'r stoc, yn arbennig o ran y ffermwr bach. Doedd y stoc ar y pryd ddim yn rhy dda. Roedd ffermwyr, er mwyn cynyddu'r cyflenwad o laeth, yn croesfridio'u stoc a sylweddolais na wnâi hyn ond eu harwain at fridio mwngreliaid. Cychwynnais orsaf *AI*, a chredwch fi, pan gyrhaeddodd y llo cyntaf yn yr ardal fe achosodd gryn gyffro.

Roeddwn i'n cadw pedwar tarw, un Ffrisian, dwy fuwch Fyrgorn ac un Jersi. Y nifer mwyaf o loi a adawyd gan wasanaeth tarw ar y pryd oedd 13, ond ar gyfartaledd tuag wyth a geid. Yn ddiweddarach fe wnes i arbrofi drwy ychwanegu ffosffad wy i'r semen a llwyddais i gynyddu'r nifer o loi a ddeilliodd o bob gwasanaeth i 20.

Profodd y syniad o gadw teirw dan do ar gyfer gwasanaeth *AI* a chyfrif dyddiol y semen ar unwaith fod y dull o gadw tarw wedi'i glymu yn y stâl yn ddiwerth. Roedd dau beth yn hollbwysig er mwyn cadw'n ffrwythlon – bwydo iawn a digon o ymarfer.

Fe aeth ymlaen wedyn i sôn am y datblygiadau mewn *AI* yn y cyfamser. Gydag ychwanegu gwrthfeiotics a defnyddio dulliau rhewi dwys gellid sicrhau cynifer â 1,000 o loi yr wythnos oddi wrth darw a gallai'r anifail hwnnw ennill i'w berchennog, meddai, fwy o arian na'r seren ffilmiau mwyaf llwyddiannus. Yn anffodus, meddai, bu'n rhaid rhoi'r gorau i'r syniad gan i'r awdurdodau beidio ag annog y fath weithgaredd gan wrthwynebu'r syniad o unigolion yn gweithredu'r fath beth. Ar ben hynny roedd yr amser y gallai Nhad ei roi i'r fath waith yn gyfyngedig, oherwydd pwysau gwaith yn ymwneud â chynllun buchesau ardystiedig. Ond roedd o'r farn bendant y dylai'r awdurdodau perthnasol wneud mwy o ymdrech nag yn y gorffennol i wella'r stoc. Ni ddylid caniatáu yr un tarw ar gyfer canolfan *AI*, meddai, os nad oedd naill ai yn genhedlwr profedig neu wedi ei fridio o rieni profedig. 'Ni ddylid defnyddio ond y gorau,' meddai, 'gan y gallai tarw gwael achosi niwed anadferadwy.'

Mae pethe wedi gwella erbyn hyn. Y ddau beth a gafodd eu cyflawni 'nôl yn y dauddegau a oedd yn bwysig iddo ef ac i bobl debyg oedd gwella'r stoc a gwella'r porfeydd. Ar y dechrau doedd dim un rheolaeth ar yr hyn a ddigwyddai. Wedyn fe ddaeth y bridiau yn bwysig gan gael teirw gwell a bridio oddi wrth y stoc gorau bob amser er mwyn gwella'r stoc. Wedyn dyma'r sioeau amaethyddol yn ennill eu lle, a'r Sioe Gwartheg Tewion a'r Sioe Laeth er mwyn gwella'r stoc o ran cyfansoddiad yr anifail, o ran cynhyrchu llaeth os oedd hi'n fuwch odro.

Nid yn unig roedd angen gwella'r stoc ond roedd angen gwella'r porfeydd hefyd. Dydw i ddim yn credu fod digon wedi cael ei ddweud am yr hyn a ddigwyddodd yn y Fridfa Blanhigion ger Aberystwyth yn nyddiau hen gyfaill i Nhad, Llewelyn Phillips. Fe ddaeth dylanwad y lle yn fyd-eang mewn rhoi'r ansawdd iawn o borfa o ran cynhyrchu mwy o laeth neu gig; diogelu yn erbyn clefydau; porfeydd ar gyfer gwahanol amserau o'r flwyddyn; a phorfeydd a oedd yn fwy addas i ambell i ardal na'i gilydd.

Mae'r Cymdeithasau Tir Pori wedi profi i fod yn fanteisiol hefyd, y rhain sy'n tyfu porfeydd gan roi cyfle i ffermwyr gystadlu â'i gilydd mewn tyfu porfa neu silwair. Mae hyn unwaith eto yn gosod safon. Yr hyn gawn ni yn y diwedd yw gwelliant amaethyddol drwyddi draw.

Ond a yw pobol erbyn hyn yn cymryd yr holl bethau hyn yn ganiataol? Yn yr hen ddyddiau dim ond hap a damwain oedd bridio a chynhyrchu porfa. Yna yn y chwedegau a'r saithdegau fe welwyd ffermio dwys, a hyn yn arwain at gynhyrchu mwy o laeth a chynnyrch arall yn gyflymach. Ac wrth gwrs, dyna pryd hefyd y gwelwyd mwy o glefydau. Drwy gyflwyno mwy o nitrogen i'r tir ar gyfer tyfiant cyflym cafwyd tyfiant rhy gyflym fel nad oedd y cnydau yn tynnu digon o'r pethau da allan o'r tir. Ac wrth gwrs, os nad oedd y creaduriaid yn cael y cnydau gorau, roedden nhw wedyn, yn eu tro, yn dioddef o glefydau diffygiad. Doedd y mineralau a'r elfennau angenrheidiol ddim yn y borfa am ei fod e'n tyfu'n rhy glou a phobol yn rhy drachwantus. Fe ddigwyddodd yr un peth yn fecanyddol gyda'r erydr a'r peiriannau eraill yn mynd yn fwy ac yn fwy.

*   *   *

Ond beth arall ddigwyddodd yn ystod y chwedegau, y saithdegau a'r wythdegau? Fe welwyd dirywiad. Nid yn unig ddirywiad amaethyddol ond hefyd ddirywiad cymdeithasol a dirywiad o ran gwerthoedd. Yn sgil amaethyddiaeth y mae cymdeithas cefn gwlad yn bodoli ac yn ffynnu. Ac ystyr cymdeithas, rwy'n credu, yw pobol yn cyd-dynnu, pobol yn cydweithio ac yn byw'n gytûn gyda'i gilydd. Ond yr hyn ddigwyddodd oedd i'r capeli ddechrau cau. Dyna, i fi, ddechrau'r drwg.

Mae gan blant heddiw allwedd y drws yn eu poced, d'yn nhw byth yn gweld eu rhieni. Sdim tatw potsh a grefi, dim ond rwtsh afiach. D'yn nhw ddim yn mynd i'r capel ar ddydd Sul, d'yn nhw byth yn cymdeithasu gyda'i gilydd ac mae hyn i gyd, wrth gwrs, yn arwain at broblemau mawr, gan gynnwys – weithiau – gyffuriau.

Beth yw apêl y cyffuriau hyn? Fe ddweda i wrthoch chi. Mae pobol ifanc – a rhai hŷn erbyn hyn – yn credu bod cyffuriau yn ateb i ddiflastod. Y gŵyn fawr gan blant yw, 'Rwy'n *bored*'. A dyna i chi'r peth rhyfedda i blant ei ddweud. 'Rwy'n *bored*.' Ro'n i ar fferm yn ddiweddar yn gwneud tipyn o waith i'r *Farm Assurance*, ac mae hwn yn waith cymdeithasol. A dyma'r ffermwr yma'n dweud wrtha i mor falch oedd e fod y mab wedi dod i mewn un diwrnod a dweud ei fod e'n mynd i chwarae ffwtbol. Ond lan llofft roedd e'n mynd i chwarae ffwtbol, a hynny ar y cyfrifiadur, yn hytrach nag allan ar y stryd neu ar y cae.

Mae'r ddau grwt sydd gen i yn byw yn Llundain, a dwi'n amau'n fawr a ydyn nhw'n adnabod eu cymdogion. Maen nhw yn Llundain am nad oes gwaith iddyn nhw yn Aberteifi. Mae hi'n sefyllfa ddigon drwg yma o ran gwaith. Eto mae'n rhaid cael gwaith i gynhyrchu elw ac mae'n rhaid cael elw er mwyn byw. Dyw pobol ifanc heddi ddim yn gweld dyfodol mewn ffermio, a phwy all eu beio nhw? Ond mae'n rhaid bod yn optimistaidd ynglŷn â'r sefyllfa. Optimist, medden nhw, yw dyn â'i wydr e'n hanner llawn tra bo gwydr pesimist yn hanner gwag. Un broblem, fel y dywedodd rhywun ar y radio y dydd o'r blaen, yw bod crefydd gyfundrefnol fel y gwyddem ni amdani, wedi darfod. Nid pob crefydd, ond mae'n wir amdanon ni Fethodistiaid a Bedyddwyr ac yn y blaen.

Mae'r newid rhwng amser Nhad a'm hamser i wedi bod yn aruthrol. R'yn ni'n siarad am y newid o amser y bladur at y *strimmer*, o amser y trawslif at y llif gadwyn. Rown i'n siarad â rhywun yn ddiweddar – a fydd dim llawer o'r rhain ar ôl cyn bo hir – oedd yn cofio pan fyddai criw o bobol yn dod ynghyd i dorri llafur neu i dorri gwair â phladuriau. Pymtheg a mwy yn dod at ei gilydd a dim ond sŵn y pladuriau, y *swish* isel hwnnw, i'w glywed. Dyna i chi wahanol amser a gwahanol ffordd o fyw. Erbyn hyn mae modd gwneud cymaint o waith mewn diwrnod ag oedd modd ei wneud mewn mis ar yr hen offer. Peth arall y dylid ei ofyn yw a ydyw ansawdd bywyd yn well.

Rhaid edrych, wrth gwrs, ar y llwyddiannau – gweithio menyn a chaws er enghraifft. R'yn ni wedi sylweddoli bod ganddon ni rinweddau yng Nghymru, bod ganddon ni bethau cynhenid Cymreig. Mae'r anawsterau wedi gorfodi ffermwyr i arallgyfeirio. Flynyddoedd yn ôl fe fyddai'r Bwrdd Marchnata Llaeth yn codi'r llaeth ar ben y lôn ac fe fyddai siec yn dod ar ddiwedd y mis. Wedyn fe ddaeth y tanceri i godi llaeth yn uniongyrchol o'r ffald, mwy a mwy o laeth, a'r siec yn dal i gyrraedd ar ddiwedd y mis. Wedyn fe daflwyd pethau oddi ar eu hechel gyda dyfodiad Clwy'r Traed a'r Genau a'r *BSE*. Ac erbyn hyn dyw'r ffermwr ddim yn cael y pris y mae'n ei haeddu. Rhaid pwysleisio'r ffaith eto – yr archfarchnadoedd sy'n rheoli bellach.

Rwy'n ofni bod y Llywodraeth hon am droi Cymru yn barc bywyd gwyllt. Pan o'n i'n mynd allan ugain mlynedd yn ôl, pe byddwn i'n gweithio ar ddydd Calan neu ddydd Nadolig, fyddwn i ddim yn gweld fawr neb. Nawr mae'r llefydd bach yma yn llawn o bobol yn cerdded. Mae'r mewnlifiad wedi digwydd am fod pobol o'r tu fas wedi sylweddoli bod ganddon ni le prydferth ac maen nhw am achub mantais ar hynny am ei bod hi'n rhatach i fyw yma. Maen nhw'n medru gwerthu eu tai yn Lloegr am grocbris a phrynu tŷ yng Nghymru am arian bach. Ac i waethygu'r sefyllfa mae pobol yn dod i mewn i brynu ffermydd gan fyw yn y ffermdy ond yn gwerthu'r tir, ar wahân i ddwy neu dair erw. A dyma gymryd cam mawr arall at ddinistrio cymdeithas. Mae'n rhaid i ni gadw'r Gymraeg yn fyw, ond wnawn ni byth mo hynny os na chadwn ni'r gymdeithas yn fyw.

Mae'r amser gorau wedi hen fynd heibio ac mae pobol yn mynd allan o ffermio. O'r nifer o ffermwyr oedd ar ein llyfrau ni ugain mlynedd yn ôl mae'n rhaid mai dim ond tua eu hanner sydd ar ôl. Ac mae'r ffermwyr sy'n dal ar y tir wedi colli eu statws. Does dim parch i'r ffermwr bellach. Dyw'r Llywodraeth ddim yn ystyried amaethyddiaeth yn ddiwydiant hollbwysig. Ac i Gymru, yn arbennig yn siroedd Penfro, Aberteifi a Chaerfyrddin mae'r syniad yma o osod tir o'r neilltu, sef talu ffermwr am gadw'r tir yn wast, yn rhywbeth cwbl wrthun. Fe ddwedodd ffermwr wrtha i'n ddiweddar, erbyn iddo fe sicrhau Tir Gofal organig, a chadw'r safonau angenrheidiol ar gyfer yr amgylchedd, y byddai'r hyn mae'r Llywodraeth yn ei gynnig iddo am hynny yn ei wneud yn well ei fyd phe na byddai ganddo fe un creadur o gwbwl. Hynny yw, mae'r arian sy'n cael ei gynnig am wella'r amgylchedd yn well na'r elw a ddaw i mewn am gynhyrchu cig neu laeth. Ac mae hyn yn gwneud i bobol feddwl mai dyma beth mae'r Llywodraeth am ei weld yn digwydd. Ar ôl blynyddoedd o feithrin tir dim ond i'w droi yn wast, ddaw'r tir hwnnw byth yn ôl i'w safon wreiddiol. Mae gweld tir wedi'i osod o'r neilltu yn hala rhywbeth drwydda i. A pho fwyaf o reolau y mae'r Llywodraeth yn mynd i'w creu, gwaetha i gyd fydd y sefyllfa'n mynd.

Mae'r rhod wedi troi yn llwyr bellach a llawer o ffermwyr yn teimlo ei bod hi wedi troi'n ormodol. Petai ein cyndadau ni'n dod 'nôl heddiw fe fydden nhw'n arswydo wrth weld yr holl reolau sydd mewn grym. Mae safonau wedi gwella, ond rwy'n cofio'n dda beth ddywedodd Garry Yates, oedd yn gweithio i Fanc y Byd, yn 1973: na allai Prydain gynhyrchu bwyd rhad ac, o'r herwydd, fe fydden ni mewn trafferthion mawr ymhen ugain mlynedd neu chwarter canrif. Gwir a ddywedodd.

Yn ddiweddar iawn roeddwn i'n siarad â rhywun o Bangalore wrth i fi adrodd fod problem gen i gyda'r ffôn. Yn y pen draw, rhywun o Hwlffordd wnaeth alw i drwsio'r ffôn. Ond flynyddoedd yn ôl, fe fyddwn wedi ffonio Hwlffordd. Nawr, fe fues i allan yn India, fi a'r wraig a ffrindiau. Yno fe welson ni bobol oedd yn gweithio'n galed am arian bach, ond yn hapus ar eu byd. Fe wnes i siarad ag un, a oedd ond yn ennill £250 y flwyddyn am fod yng ngofal y brêcs ar drên. Roedd ganddo bedwar o blant. Ond roedd ei deulu'n lân, y bwyd yn lân, a'r bobl yn debyg i'r hyn oedden ni flynyddoedd yn ôl. Cymdeithas heb fod yn faterol, a'r bywyd cymdeithasol yn bwysig. A nawr, pobol fel hyn o'r Trydydd Byd sy'n elwa. Hen bryd iddyn nhw gael bywyd gwell hefyd.

Mae'n amlwg i bawb bellach mai'r bwriad yw troi Cymru yn un parc hamdden neu barc bywyd gwyllt mawr ar gyfer cerddwyr ac eraill sy'n awyddus i fwynhau bywyd y wlad. Does gan amaethyddiaeth ddim lle yn hynny o beth yn ôl meddylfryd y gwleidyddion sy'n cyfrif. Fe fu yna losgi tai haf. Roedd yna reswm y tu ôl i hynny, pobol yn teimlo bod pethau'n mynd o ddrwg i waeth. Mae'n rhaid i ni gadw'r Gymraeg yn fyw, ond wnawn ni byth o hynny os na wnawn ni gadw cymdeithas yn fyw. Y ffermwyr a phobl gynhenid y wlad, cyn hir, fydd Indiaid Cochion Prydain.

Eto i gyd, mae Cymru ymhlith y gwledydd gorau am gynhyrchu cig a llaeth. Ar hyd y blynyddoedd mae rhai o ffermwyr Cymru wedi llwyddo i gynhyrchu llaeth ar dir

117

gweddol sâl. Wrth i chi deithio i fyny am Lundain mae hi'n hawdd gweld sut mae ansawdd y tir yn gwella wrth i chi nesáu at brifddinas Lloegr. Mae'r llafur i'w weld yn aeddfedu fis ynghynt. Felly hefyd y gwair a'r silwair. Mae ffermwyr Dyfed wedi llwyddo i gynnal safon uchel ar dir sydd, ar y cyfan, o safon isel, a phob clod iddyn nhw am lwyddo i wneud hynny.

Na, dyw'r anifail fferm ddim yn bwysig bellach i'r Llywodraeth. Ond i fi, pan fydd Cymru heb ddafad ar fynydd, Cymru heb fuwch yn godro, Cymru heb fuwch yn tewhau, Cymru heb lo yn sugno buwch, Cymru heb oen yn sugno dafad ym mis Mawrth pan fo'r cennin Pedr yn blodeuo, yna nid Cymru fydd hi. Ond dyna'r ffordd mae pethe'n mynd.

Pobl sy'n creu cymdeithas, a'r bobl fu'n gyfrifol am greu'r gymdeithas amaethyddol leol sydd wedi bod yn gyfrifol am fy nghynnal i gydol fy oes. Mae hi wedi bod yn bleser ac yn anrhydedd nid yn unig i wasanaethu fel milfeddyg ond hefyd i gael bod yn rhan o'r gymdeithas. Ac yn awr mae'n rhaid symud ymlaen.

Pan o'n i'n clywed pobol gynt a oedd yn ymddeol, ac yn dweud na wydden nhw ddim sut oedden nhw wedi cael amser i weithio, fe fyddwn i'n meddwl mai dwli oedd dweud hyn. Ond nawr, ar ôl ymddeol, mae rhywun yn sylweddoli pa mor lwcus mae e wedi bod. Dyna i chi iechyd. Mor lwcus ydw i wedi bod o ran fy iechyd fy hunan, iechyd y wraig, iechyd y plant. Ac r'yn ni'n dueddol o gymryd hyn yn ganiataol. Mae rhywun yn becso faint o bensiwn sydd ganddo fe, becso wedyn a allwn ni fforddio gwneud hyn neu arall. Ond mae'r gymdeithas lle dwi'n byw ynddi wedi fy nghynnal i. Trwy fy ngwaith rwy wedi cael fy nghroesawu i aelwydydd hyfryd ar hyd a lled yr ardal fendigedig hon.

Fyddwn i erioed wedi meddwl am fod yn gerddwr mawr. Ond nawr, gan fod y wraig a finne'n ddigon iach i wneud hynny, r'yn ni wedi bod wrthi yn edrych ar yr ardal lle bues i'n gweithio ynddi o agwedd wahanol. Edrych ar ardal gogledd Sir Benfro a De Sir Aberteifi. R'yn ni'n cwyno am y glaw ond hebddo, chaem ni ddim o'r amrywiaeth hyfryd o wyrddni –

dyfnderoedd o wyrddni – sy'n gwneud i'r wlad edrych mor hardd. Lle bynnag dwi'n mynd nawr, rwy'n sylweddoli mor lwcus ydyn ni o gael byw mewn cornel fach o Gymru lle mae pobol yn sylweddoli fod newid mawr wedi – ac yn – digwydd. Mae ffermio yn newid, a ninnau'n gorfod newid gydag e.

Yn fy achos i, rwy wedi bod yn edrych ymlaen at bethe i ymddiddori ynddyn nhw. Un peth dw i wedi ei sylweddoli'n ddiweddar yw cyn lleied dw i wedi ei gyfrannu tuag at y gymdeithas yn Aberteifi. Wnes i erioed, er enghraifft, fod yn aelod o gyngor lleol. Rhyw ofni rydw i, petawn i ar gyngor y byddwn i'n Sioni-bob-ochor. Rwy'n cofio'r prifathro'n fy rhybuddio unwaith na fedrwn i fod yn swyddog disgyblion ac yn boblogaidd. Ofni rydw i, petawn i'n gynghorwr, y byddwn i'n seboni pawb – ond dyw hynny ddim yn esgus dros beidio â gwasanaethu ar gyngor. Un peth dwi wedi ei wneud yw ymgyrchu dros achub Castell Aberteifi. Mae Cyngor Ceredigion bellach wedi prynu'r safle ac mae criw ohonon ni, diolch i Trefor Griffiths, wedi sefydlu Ymddiriedolaeth gan dderbyn her Ceredigion i fynd ymlaen.

Y peth cynta wnaethon ni oedd prynu'r bythynnod bach sydd ar y ffordd i mewn i safle'r castell. Erbyn heddiw mae'r rhain yn nwylo Ceredigion. Y bwriad nawr, ar y cyd â Cheredigion, yw atgyweirio'r castell a rhoi ynddo fe ryw fywyd newydd cyn iddo fynd yn adfail llwyr.

Rwy'n teimlo fod y prosiect yn bwysig er mwyn diogelu'n hetifeddiaeth, ein treftadaeth a'n traddodiadau Cymraeg ni. Mae cysylltiad y castell â'r Eisteddfod yn hanes pwysig iawn. Mae'n rhaid i ni fynd allan i ddarbwyllo pobol fod ganddon ni yn ein hardal rywbeth hollbwysig sy'n werth ei gadw a'i barchu.

Yn y cyfamser, er fy mod i wedi ymddeol, rwy'n dal yn ymwybodol o'r angen i fod yn effro i broblemau fel tiwberciwlosis a'i gysylltiad â'r mochyn daear. Mae yna brawf bellach o'r cysylltiad rhwng y ddau. Mae'r clefyd yn costio arian mawr i'r wlad ac i'r ffermwr yn arbennig.

Yn graidd i'r cyfan mae'r angen i gadw'r iaith, ac mae angen i'r iaith fod yn ganolog i bopeth. Mae hi'n bwysig ein bod ni'n cofio hynny ymhob datblygiad – ac mae angen datblygiadau. Dydi'r ffaith ein bod ni'n bodoli mewn rhyw gornel fach ddiarffordd ddim yn golygu na ddylen ni gael yr un mwynderau a manteision â phawb arall.

Yn ganolog i'r cwbl mae'n rhaid cael gwaith, fel bod y bobl ifainc yn medru aros yn eu bro, a honno'n fro mor hyfryd. Y ffaith ei bod hi'n ardal mor hyfryd sy'n denu pobol yma o'r tu allan. A dyna her arall y mae'n rhaid ei hwynebu. Hwyrach fod y rhod yn troi gydag amaethyddiaeth wedi newid a Christnogaeth yn edwino. Mae safon bywyd yn dioddef, cymdeithas yn gwanhau. Ond rhaid glynu at y safonau er mwyn cadw a gwarchod y pethe.

Pan ddaeth yn amser i ymddeol, ar ddiwedd 1999, a minnau erbyn hynny'n 60 oed, cefais ddwy anrheg pen-blwydd bach oddi wrth ddau lenor adnabyddus. Y cyntaf, oddi wrth Wil Roberts – sydd â chysylltiad teuluol gan ei fod yn briod ag Elisabeth, merch fy chwaer annwyl –

Y fet yn 60

Pwy heddiw sy'n fwy addas – ar y bocs
Lle bu'n ymddangos?
Yn wych y mae heb un os,
Yn wych ym mhob un achos

William Roberts
Awst 23 1999

Cyfeirio y mae 'ar y bocs', wrth gwrs, at ein cyfres deledu, *Galw'r Fet* gyda Martin Williams. Rhoddodd y gyfres hon lawer o bleser i ni fel practis a, gobeithio, rywfaint o bleser i'r gwylwyr, gan roi rhyw fath o weledigaeth i bobl nad oedd ganddynt lawer o wybodaeth am ffermwriaeth na milfeddygaeth cyn hynny.

Yr ail gyfarchiad i mi ei dderbyn oedd yr englyn hwn gan y Prifardd Ceri Wyn Jones, ffrind i mi a mab i Dafydd Wyn Jones, ffrind dawnus arall a chyfarwyddwr a sgriptiwr amryddawn

120

Opera Teifi. Ef oedd y dyn a alluogodd fi i gael fy anrhydeddu'n Archdderwydd dros dro!

Dici'n drigain

Wyt ifanc, fet y Teifi – wyt Herriot
    Y werin eleni,
    Am na welwyd mewn weli
Filfeddyg tebyg i ti!

Ceri Wyn Jones 1999

Mae'r ddau englyn yn bethau y byddaf yn eu trysori'n fawr am byth.

Rwy'n cofio'r adeg y cafodd y rhain eu hysgrifennu, ac ymddeoliad yn agosáu. Beth fyddai'n wahanol y flwyddyn nesaf? Roedd sŵn y ffôn wedi bod yn fy nglustiau ers fy mod yn grwt bach, ond 'tincl' ffôn busnes oedd hwnnw. Hyd yn oed wedi ugain mlynedd o fod mewn practis, byddai sŵn y ffôn 'on duty' yn dihuno dyn yn sydyn. Rhywun ar y pen arall mewn pryder, neu o leiaf eisiau eich gwasanaeth ar frys. Ac efallai byddai dwy neu dair galwad yn olynol. Ar ôl ymddeol, a fyddai i'r ffôn yna sŵn gwahanol? Sŵn mwy tyner efallai, sŵn mwy hamddenol. Mae lle yn fy mywyd i'r ddau. Dyma ran o fywyd.

Pan fyddwn yn dod adref nawr ar ôl bod i ffwrdd am beth amser – troi allwedd y drws, casglu'r post a throi'r peiriant ateb ymlaen a wneir. Dim galwad busnes bellach, ond aml i alwad oddi wrth un o'r teulu annwyl neu ffrindiau agos. A ninnau bellach yn gallu mwynhau amser hamdden o grwydro'r byd, y neges dwymgalon sydd o hyd yn rhoddi pleser i ni'n dau pan ddown ni 'nôl 'Ble 'ych chi wedi mynd tro 'ma, y diawled?'

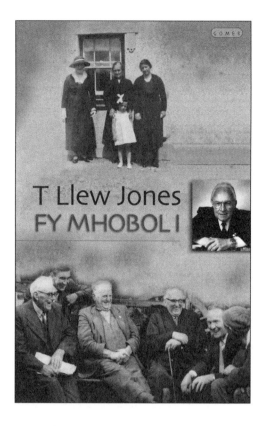

Dyma banorama o fywyd un o lenorion mwyaf adnabyddus ac
annwyl Cymru, T. Llew Jones. Mae'r hunangofiant personol, hynod
ddifyr a chynnes hwn yn ein tywys, fesul cyfres o gip-luniau,
o Bentre-cwrt ei blentyndod i Geredigion, y sir a gysylltir fwyaf ag
ef, gan alw yng Nglynebwy, Caernarfon, yr Aifft a Llundain ar
y daith. Pobol yw prif ddiddordeb T. Llew, a thrwy'r rhai a fu'n
bwysig iddo am wahanol resymau y cawn olwg ar ei fywyd ef ei
hunan. Mae gwragedd cryfion ei deulu yma, cymeriadau lliwgar
Pentre-cwrt slawer dydd, eisteddfodwyr a gwŷr llên: teulu'r Cilie,
Waldo Williams a 'gelyn y bobol', Caradoc Evans, yn eu plith.
Dewch i fwynhau, i rannu profiad a nabod T. Llew a'i bobol ef.

£5.95   1 84323 059 3

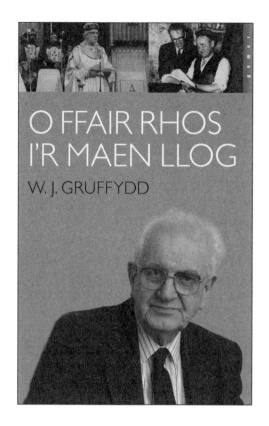

O FFAIR RHOS
I'R MAEN LLOG

W. J. GRUFFYDD

Yn 1945 y cychwynna'r siwrne ddiddorol, digrif a dadlennol hon i'r
Parchedig W. J. Gruffydd, o dop Ffair Rhos yng ngogledd sir
Aberteifi i ben Maen Llog Eisteddfod Genedlaethol Cymru, siwrne
sy'n parhau hyd heddiw.
    Ar ddiwedd y Rhyfel dychwelodd W. J. Gruffydd i'w ardal
enedigol yng Ngheredigion a chychwyn ar yrfa fel gweinidog, gŵr a
thad ac fel llenor toreithiog. Hanes yr yrfa, neu'r gyrfaoedd hynny, a
geir yma. Mae yma ddigrifwch – fel y disgwylid gan dad Tomos a
Marged o Nant Gors Ddu – ac y mae yma ddwyster. Cawn hanes ei
grwydriadau fel gweinidog gyda'r Bedyddwyr yn ail hanner yr
ugeinfed ganrif, a'r llawenydd a'r llymder a ddaeth yn sgil hynny.
Cawn glywed am anturiaethau eisteddfodol o bob math. Ond yn y bôn
yr hyn a gawn rhwng cloriau'r llyfr hwn yw golwg ar fywyd
cymeriad hynod, a hynny yn ei eiriau dihafal, gloyw, ei hun.

£5.99   1 84323 257 X

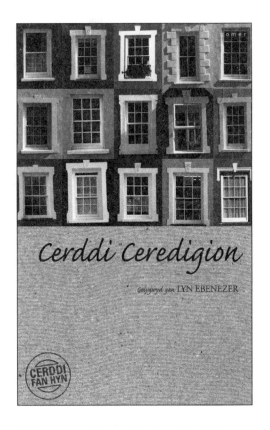

Cerddi Ceredigion

Golygwyd gan LYN EBENEZER

Casgliad o gerddi'n ymwneud ag ardal arbennig sydd yn y gyfrol ddifyr hon, rhan o gyfres sy'n ein tywys ar hyd a lled Cymru trwy gyfrwng barddoniaeth. Yn wahanol i gyfresi o gerddi bro y gorffennol, nid ar y beirdd y mae'r pwyslais yn y gyfres hon, ond ar eu testun: mae pob cerdd yn sôn am yr ardal, ei hanes neu ei phobol.

I hen sir Aberteifi y trown yn y gyfrol hon – dyma sir gyfoethog a chyforiog o gymeriadau a lleoliadau gogoneddus. Dacw Nant y Moch a Chwm Alltcafan, Llanbadarn a Llandysul, Pumlumon a Phantyfedwen; teulu'r Cilie, Lewisiaid Gwasg Gomer a Peter Goginan ymysg llawer iawn mwy. Cyfrol anhepgor i bob Cardi – a phob Cymro!

Daw Lyn Ebenezer o Dregaron ac mae'n newyddiadurwr a darlledwr adnabyddus sydd bellach wedi symud yn ôl i'w ardal enedigol, i Bontrhydfendigaid. Y mae'n awdur a chyd-awdur llu o gyfrolau ac ar ei dystiolaeth ei hun y mae'n 'Gardi digyfaddawd'.

£6.95

1 84323 161 1

'. . . byddai Dyta'n fy ngwasgu'n dynn ato, llawer yn rhy dynn, a rhoi'i law fawr galed o dan fy nillad, a goglais fy mhen-ôl a'm cwcw nes 'mod i'n gweiddi 'da'r boen.'

Does fawr o gysur i Jini John yn Llety'r Wennol: Mamo'n ddiflas drwy'r amser, ac ofn y bydd Dyta'n ei siabwcho – ei cham-drin – eto. Pan ddaw'n amser mynd i'r ysgol, caiff gobeithion merch fach chwilfrydig fel Jini eu dryllio oherwydd creulondeb y Mishtir a gêmau hurt rhai o'r bechgyn mawr. Mae ceisio gwneud synnwyr o'r cyfan yn dipyn o her, yn enwedig pan fo'n rhaid cadw cynifer o gyfrinachau.

Ganed a maged Marged Lloyd Jones yn ne Ceredigion, ardal y nofel hon, ond erbyn hyn mae'n byw yn y Bala.

£6.95   1 84323 058 5

Tomos a Marged . . .

Tomos a Marged . . .
Chwedlau
Nant Gors Ddu

W. J. Gruffydd

gomer

Cawn ein tywys yn ôl i Nant Gors Ddu i glywed stori campau Bilco yn yr Eisteddfod, tynged yr Ast Felen, Tomos a'r bregethwres a sawl chwedl ddoniol arall am y ddau hen gyfaill annwyl, Tomos a Marged.

£4.95   ISBN 1843230356

Nid yw symud o'r wlad i'r
dref i fyw heb ei drafferthion
i Tomos a Marged, a phan
ddaw eu hen gymdoges o'r
mynydd ar y bws i'r dref –
â cheiliog a dwy iâr mewn
sach yn anrheg iddynt yn eu
cartref newydd yn
Llanamlwg – mae'n ddechrau
gofidiau i Mabon Bach ac
aelodau eraill y Cyngor
Cymuned!

£4.95   ISBN 1 85902 827 6

Ddwywaith yn blentyn, medd
yr hen ddihareb, ac wrth i
Tomos gael hoe fach yng
nghartref Awelfor – y 'Confa
Lesent' – mae Marged yn
dechrau poeni am y straeon
sy'n lledu hyd y fro am y
berthynas honedig rhwng ei
gŵr diniwed a gwraig
weddw bert mewn ffrog
flodeuog. Does gan Loffti a
Stalin ddim byd gwell i'w
wneud na bwydo tân y clecs,
ond a fydd Tomos yn
llwyddo i wrthsefylll
dyheadau Neli Ann
ddeniadol? Neu a fydd calon
Marged yn torri'n ddwy?

£5.95   ISBN 1 84323 144 1

SIONED LLEINAU

gomer

ar dân

'Cefais hwyl anghyffredin yn darllen y nofel hon; digon o sbort a sbri. Mae'n amlwg nad yw bywyd cefen gwlad wedi newid yn llwyr!'
DAI JONES, LLANILAR

'Cefais hwyl anghyffredin yn darllen y nofel hon; digon o sbort a sbri. Mae'n amlwg nad yw bywyd cefen gwlad wedi newid yn llwyr!'

Dai Jones, Llanilar.

Pwy ddwedodd nad oes dim byd yn digwydd yng nghefen gwlad! Mae Ifan, mab fferm y Gelli, a'i ffrindiau, Daf a Marc Sparcs, y ddau dderyn mawr yn y gang, ar dân dros fyw bywyd i'r eithaf, ond rhaid iddyn nhw greu eu diddanwch eu hunain, diddanwch doniol, cyffrous a dienaid weithau! Serch hynny, mae mwy yn digwydd yn y Gelli na direidi Ifan; cenhedlu, priodi, difa, daw'r cyfan yn ei dro. Wedi'r tynnu coes, diolch byth bod yma gymuned gytûn sy'n tynnu'n glós pan ddaw stormydd bywyd i sigo seiliau'r Gelli a'i theulu.

£5.99

1 84323 282 0